中共秦皇岛市海港区委宣传部编

溯源

海港区的文化韵味

记忆乡愁

本土作家的美文漫笔

山之灵·海之韵·城之味·人之美

燕山大学出版社

图书在版编目（CIP）数据

记忆乡愁 / 中共秦皇岛市海港区委宣传部编. —秦皇岛：燕山大学出版社，2017.9（2019.5 重印）
（溯源丛书）
ISBN 978-7-81142-476-8

Ⅰ. ①记… Ⅱ. ①中… Ⅲ. ①散文集－中国－当代 Ⅳ. ① I267

中国版本图书馆 CIP 数据核字（2017）第 259781 号

记忆乡愁

中共秦皇岛市海港区委宣传部 编

出 版 人：陈　玉
责任编辑：朱红波
封面设计：于文华
出版发行：燕山大学出版社 YANSHAN UNIVERSITY PRESS
地　　址：河北省秦皇岛市河北大街西段 438 号
邮政编码：066004
电　　话：0335-8387555
印　　刷：北京建宏印刷有限公司
经　　销：全国新华书店

开　　本：700mm×1000mm 1/16　　印　　张：15.25
字　　数：185 千字　　插　　页：8
版　　次：2017 年 9 月第 1 版　　印　　次：2019 年 5 月第 2 次印刷
书　　号：ISBN 978-7-81142-476-8
定　　价：48.00 元

海上日出

东山灯塔

破城子长城云海

东山一带的海岸

森林逸城小区

春花盛开的新世纪公园

美丽乡村

大汤河

龙泉庄村党支部书记温守文

归提寨村杨家琛主持设计建设的小康楼

美景如画的西连峪村

海港城市夜色

春到长城内外

长城云海

板厂峪长城秋色

长城冬景

序

海港区的历史很短，自1956年建区至今只有短短的61年。海港区的文脉很深，从公元前215年秦始皇东巡碣石、望海祈福，这片土地承载着2200多年的历史,可谓一个鹤发童颜的智慧长者。

千年的沧海桑田，形成了海港区山、海、湿地、地质奇观共融的自然环境，塑造了不可多得的生态资源。南临渤海、北倚群山的独特地理，让海港区见证了从南北朝时期北齐修筑边墙抵御胡虏，到明代军事将领戚继光重修长城的御敌史；也经历了从昔日的小渔村、小码头到改革开放、城市快速崛起的开放史，海港区在历史风云中历经沧桑，积累了宝贵的人文财富，成就了这座城市独特的文化底蕴。浩瀚的大海、起伏的群山涵养了不可多得的生态资源，也演绎出了山海相依、港城互融的文化特色。自然与人文交相辉映，生态与文明相得益彰，造就了海港区璀璨的文化气象和厚重的文化底蕴。历史格外厚爱这片幸运的土地，时代特别钟情这片宜居宜业宜游的热土。地理、历史、文学、艺术、民俗、典故，都成为海港区的文化之源。

在新时期的发展实践中，海港区人以历史文化为基石，不断突破创新，敞开胸怀同世界接轨，以海纳百川的气度吸纳一切新鲜事物、成功经验，并内化为前行的不竭动力，形成了“开放、包容、崇德、尚美”的海港精神。这是海港区地域文化最核心的内容，也是最具时代特点的价值追求。如果说海港文化是一条历史长河，那么海港精神就是这条长河当中最具活力、魅力的文化传承。海港区的自然环境经历了何种变迁？海港区的民间文化沿着怎样的脉络绵延至今？海港区人如何筚路蓝缕使港城呈现今日模样？作为海港区的建设者、海港精神的传承者，我们有责任回溯历史，把海港区发展之路记录好、挖掘好、整理好，让更多的人了解海港区、热爱海港区，为此，我们编写出版“溯源”这套丛书，追溯海港区历史源头，提升海港区的文化魅力，推进物质文明与精神文明协调发展，让群众共享文明成果。

回顾历史是为更好地向前走。当前，海港区正处在转型发展、跨越崛起的关键时期，新的动能正在集聚，新的业态正在孕育，新的作风正在形成，这是海港区千载难逢的历史性契机，也是海港区最接近“美丽港城”梦想的重要时期。将全省最大的城市中心区发展成全省最好的城市中心区，打造一流主城区和沿海经济增长极是每一名海港区人的使命与责任。区域的发展更需要文化的助力和支撑。编写“溯源”就是要挖掘文化底蕴、展示人文特色、弘扬海港精神，激励海港区人从历史文化中吸取养分，提高文明素养，提升城市的软实力、竞争力。如能引读者探究海港区的历史，投身港城建设，此书也就实现了它的价值。

中共秦皇岛市委常委、海港区委书记

冯国林

2017 年 9 月

·目　录·

第一辑　沧海留痕

3　翻阅老街（李书和）
8　秦皇大港忆往（娄春生）
16　突破长城（龚宏）
20　大汤河（刘立勤）
35　那些刻骨铭心的记忆（娄春生）
49　九号回忆（张立军）
52　与海为邻（海津）
62　一个村庄的记忆（杨晓光）
66　与城市同在的情感（娄春生）

第二辑　温暖家园

73　叶落秦皇岛（奚学瑶）
83　忆乡园（薛顺平）
90　子夜馄饨（高红弟）
93　山东里·幸福里（唐河滨）
97　卖兰花的人（李楠）
101　春天，在城市（李霁）
105　我的村庄（刘艳稳）
112　担子上的花季（刘翠贤）
118　港城人（亚刚）

第三辑　心灵港湾

123　妙绘青山入画图（刘萌萌）
134　父亲，我终于懂你（杨宏玲）
142　魂驻青山绿水（吴永哲 宋柏松 容桂阳）
148　周保军与毛四灵（海津）
152　爱并不是“一点点”（黄东）
158　幸福是热爱的别名（刘萌萌）
168　相亲相爱一家人（李蔷）
174　你在我眼里是最美（曲晶）
180　岛上听风（钱欣）

第四辑　如诗画卷

193　今月曾经照古人（王雅静）
197　我所在的城市（红菱）
203　紫藤香飘益寿园（聂春友）
208　心情树（王砚梅）
211　岛上三题（简枫）
215　小城的雪（无痕）
218　窗无玉兰（陆旭辉）
222　难忘当年香雪海（金山）
225　雨霁晴明赏梨花（李贺文）
228　秋日在板厂峪（刘育辉）
230　岛上沉思录（杨洁）

第一辑

沧海留痕

翻阅老街

李书和

秦皇岛，一个古老而年轻的城市。古老，是说它用两千多年前中国第一个帝王的名字命名。年轻，是说它作为一个城市的名字，被人们呼唤的时间并不足够久远。随着持续不断的旧城改造，如今半个世纪前的旧房子、老街巷，几乎荡然无存了。就在这些老街被拆除的前夜，我抢拍了一些老街照片，并把它们装入相册，仿佛一本书，不时翻阅，因而唤起我遥远的记忆。

阴森可怖的“大局子”

解放前，秦皇岛是旧临榆县管辖的一个小城镇，除朝阳街、海阳路、东大街、长城路、开滦路几条屈指可数的街道外，几乎到处是小胡同，城乡人口混居。不少人家在城郊耕种土地。国民党政权在城里设置了警察局。我随父母亲刚由山东老家迁来时，就住在局后北街（后改为民主北街）的一条小胡同里，胡同口正对着警察局的后大门。百姓把警察局称为“大局子”，孩子一哭，大人就说：“别哭了，‘大局子’里的人来了。”孩子顿时止住哭声。我们胡同里的孩子，谁也不知“大局子”里边是啥样，但每到夜间，笛声拉响，街上就戒严，谁也不敢上大街了。不时从“大局子”里传出令人恐惧的嘶喊或者凄惨的叫声。白天有时看到从“大局子”里走出警察，身上背着枪，手里牵着狗，行人躲得远远的。解放前夕，我父亲在开滦路上一家洗染店做工。一天，下班晚了，从开滦路走到“大局子”附近正赶上戒严，被警察呵斥一顿，踹了一脚，父亲说明家住这里，下班晚了，这才将他放过。母亲和我在家熄了灯，听到外面的呵斥声，吓得不敢出门。

“泉眼”竟在屋里

1948 年 11 月 27 日，国民党军队溃逃而去，秦皇岛解放了。据说因为秦皇岛有港口，中央政府和省里十分重视，专门设置了秦皇岛市，先叫秦榆市，后来又改作秦皇岛市（据记载，当时河北省只有四个省辖市：保定、唐山、石家庄、秦皇岛）。级别虽是省辖市，但城市规模小，城市设施极差。旧中国留给人民政府的是一个破败不堪的城市和规模不大的港口。那时，秦皇岛以京山铁路为界，分为“道南”“道北”。现在“天桥市场”一带地势偏高，又是铁道路基，当地人俗称“高道”。“高道”以南是开滦（港务局）和耀华玻璃厂及其职工居住区。“高道”以北是商业区和居民区，地势低洼。1949 年 7 月到 8 月，阴雨连绵，几乎天天下雨，而城里连一条排水沟也没有，雨水、污水合流，从“高道”往下，长城路、海阳路、朝阳街、民主北街、长春街，直到马坊村，积水成河，水深及腰，护城河水满平槽，郊外房倒屋塌，农田被淹，树木倒伏。我家不到 10 平方米的小屋里，竟出了一个“泉眼”，水从地下往上冒，屋里全是水，土炕潮湿，连做饭的干柴都没有。家里有个洗衣服用的木盆，在屋里漂浮起来。我坐在木盆里玩，竟从家里漂流到“北大观”（现在乐购一带）。“北大观”一带大都是棚户或大泥、砖头垒起来的房屋，许多已经倒塌，那时“北大观”以外，全是农田，放眼望去，一片汪洋。

破烂不堪“北大观”

“北大观”，一个被秦皇岛人呼唤了几十年的文雅的地名。几十年前，从商业服务楼（今乐购所在地）一带往北，就很少看到建筑物了。现在文化北路和河北大街的楼宇大部分是20世纪50年代以后兴建的。站在商业服务楼一带向北望去，但见近处稀疏田舍，处处庄稼；远处峰峦叠嶂，满目青山。不知是一位什么样的文化人，就把脚下的地方称作“北大观”了。其实，“北大观”一带，住的全是穷苦人家，找不见一间像样的房子，泥坯房、棚屋高低错落，参差不齐，破烂不堪。外墙上有的抹着黄泥，有的刷上白灰，有的露着青砖，里面住的有马坊一带的佃户，也有在城里卖“工夫”、打短工、做小买卖的人家。总之，大部分比城里上班或有固定职业的工人穷苦。

那年冬天，我家屋门外挂了一个棉门帘，是为了挡寒风用的，白天摘下来，夜间挂上去。有一天夜里，棉门帘被人摘走了。过了几天，我到郊外拾柴火、刨白薯，走到“北大观”时，见到了我家的棉门帘挂在一户人家的门上，就跑回家告诉了母亲。母亲过来后一眼就看出是自己亲手缝的补丁，我想进屋去讨要，母亲一把拦住我说:“别去了，他已经挂在门上了，咱去要，肯定吵架，他们比咱还穷，就让他挂着吧。”

推水车的“卖水人”

今天的秦皇岛人，家家户户都用自来水，水龙头一拧，自来水就流出来了。可是四五十年前，用水是件难事。那时，市区内有不少所谓“洋井”，用人力把水提上来，倒进水桶，再挑回家去。

这种供水的方式，造就了两种职业，一是“打井队”，一是“卖水人”。打井队就是打井工人的组织，而卖水人则自备一个推水车和二三十只水桶。小时候邻居有位张大爷，五十多岁，看上去像现在七十几岁的人一样老，满脸皱纹，背已微驼，一身旧布衣，腰里扎一条油围裙，脚上穿一双胶鞋，整天推着一辆木制的水车，车上装着二十几只水桶（装满水大概有一千多斤重），挨门挨户地送水。把水倒进各户自备的水缸里，二分钱一挑水。由于胡同太窄，推水车太长，进出胡同很费劲儿。每当遇到张大爷将水推进我们的小胡同时，我便帮他推车，走到胡同拐弯处得慢推，用力稍大，车把就顶在墙角上，张大爷的手就可能碰伤。每天晚上，张大爷拖着疲惫的身子回家去，显得非常疲累。每车水最多卖到三四毛钱，一点微薄的收入，老人付出了多么艰辛的劳动啊！

“糟糠之妻不下堂”

解放初期，有一位秦皇岛市市长叫王植范。一市之长在老百姓眼里可是大“官”啊。王市长是位老革命，衣着朴素，慈眉善目，说话非常和气，操着保定一带的口音。20世纪50年代初，一些干部进城后，脱离了艰苦的生活环境，又掌了权，思想发生变化，有的甚至和原配夫人离婚，另娶城里姑娘为妻，王市长对此是非常反对的。解放后，市政府就占用旧警察局办公，王市长有时从后大门出来，到我们的小胡同里走走。有一次附近一家娶媳妇，王市长也带着他的夫人前来贺喜。贺喜之后，他语重心长地对新郎说：“糟糠之妻不下堂啊！”那时我还是一个十一二岁的毛头小子，这么文绉绉的话听不懂，还以为王市长把新娘说成糟糠之妻，是和人家开玩笑的。等到长大了才明白，这是老市长明确反对那种与自己患难与共的原配妻子离婚的做法啊。王市长的老伴是缠过足的小脚女人，完全是一副乡村妇女的装扮，二人肯定是患难夫妻。一句“糟糠之妻不下堂”，展现了这位高级干部的高尚道德与情操。

写在后面

经过1998年和2001年这两次大规模的旧城改造，秦皇岛已是旧貌换新颜了。改变城市面貌，改善人民的居住环境，这是党和政府实施的德政工程。作为一个已经在这座城市里生活了半个多世纪的人，我从心底里感到兴奋，感到幸福。

但是，每当我翻阅这些老街道的照片时，眼前总是浮现那些逝去的岁月，唤起我遥远的记忆。我说的这些，大多是不值一提的生活琐事。想想过去的衣食住行，对比今天的好日子，越发体会到党的现行政策的英明正确，也越发激励自己去努力工作。年轻的一代，不妨常让自己的父母或者身边的老同志、老朋友讲述一些过去的“故事”，多了解一点过去，会更加珍惜今天。

秦皇大港忆往

娄春生

登上了传说中的秦皇求仙观海的老东山，南来的海风像是裹挟了太多的岁月重量，不时打湿着我的心绪。山脚下那用毛石堆砌起的老码头，历经百年风浪的拍击，依然沉雄执着地伸向蓝色的大海，伸向历史的深处。

遥想一个多世纪前，当那些盘着长长发辫的清王朝的子民们，在浪涌天低的东山脚下打下开港的栈桥木桩时，想到的或是面对洋夷列强霸权的无奈，或是腐败朝廷日渐衰微的生计，很难说有谁还会多想些泱泱天朝王国应该有怎样的命运。从大海深处涌来的层层海浪，把许多的岁月在老码头上摔成了碎末儿，又把许多的岁月聚拢成了涌动的记忆。我知道，仅凭借一些生活的忆往和感受来记述一个世界级能源大港是件困难的事情，但聚积在这百年港湾里的历史湿度实在是太浓重了，以至于使我的许多记忆从未因岁月的流逝而随风飘散。

我们这座以古秦王冠名的城市，在中国近代史上曾屡屡作为关隘重镇出现在一些史料中。但曾让我颇感蹊跷的是，在过去的百年风云变幻里，这里却没有爆发太大的战事，也少有攻城略地、屠戮焚营的情景出现。那么它重在了哪里呢？仿佛经过了许多懵懵懂懂的岁月我才谙知，它重在了扼守“两京锁钥”的海湾之地，重在了可“四海咸通”的港口码头。从早年入侵中国的八国联军安营扎寨的海滩，到“契约华工”出口装船，再到国共内战期间登陆的美军，都曾在这里留下了我们民族饱经屈辱的累累伤痕。在我生长的年代，虽然历史的风烟已经散尽，然而，饱经沧桑的港湾却让我无师自通地找到透视历史的端点和灭点。从我记事起，历史仿佛就像一种生命的需要，赐予我一个遥远的想象空间，让我过早地有了充满寻找的梦魇，有了醉心于亲历与发现历史背影的情感。

在岁月的映衬下，老码头上耸立的装卸作业塔架，酷似林林总总高举的手臂，迎接着从天边驶来的轮船。港湾里起航与进港的笛声粗犷深沉，掠过海面和沙滩，涌入街巷和门窗，传进我们的耳鼓，又把人的想象带走了，带得很远，仿佛再也找不回来。与如今泊满千轮万船的海面相比，当年显得空旷的海面上天水衔接，很难见到等待泊位的轮船。只是在潮起潮落的海滩上，连绵起伏的沙丘下，掩埋着的一座座巨大的碉堡，让人深深记住了那个年代特有的苍凉与凝重。这些中华人民共和国成立初期构筑的海防工事，与那些外国营盘留下的明碉暗堡不同的是，沙丘下火力射孔全都朝向海面，静默之中犹可使人感到一种抵抗与守卫的气势。在这些掩藏着后人难以解读的秘密的不远处，隔着一条黄沙土马路，便是我们生活的拥塞嘈杂的工人村落。当年，生活在港务局、老耀华玻璃厂和铁路等工人村落的人们，集中代表了这座城市近代劳工的产生，他们大多数人都是外来务工求生的群落。在港务局的“煤黑子”中有许多是旧社会“闯关东”和出口劳工的山东人或其后裔，而在老耀华的人群里操有唐山老呔口音的居多。对于日本投降、美军兵舰帮蒋介石运兵、解放大军的队伍入关、港口解放等期间一些鲜为人知的故事，在他们的嘴里有着鲜活的生命，讲述起来，就像海边拉上的鱼虾，一网一网的，欢蹦乱跳。而最让人们津津乐道的还是有关港口的往事。有人说解放大军入关前，国民党兵都是坐美国军舰从大码头上了岸，也有人讲是在小码头用麻包一坨坨拎下来的（赶上天气骤冷，曾冻死冻伤不少穿短裤的南方大兵）。那些在码头上扛活的“煤黑子”们，大多过着以命相换的“挑大板”装煤船的日子，最奢望的就是能吃上几顿“棒子面窝头就小咸鱼”，或是能有一番“高粱米干饭和咸猪油”的享受。那些从旧社会过来的人们，似乎有足够的资格对那些外来劳工的风俗习性品头论足，有足够的底气谈起那些没有走进历史的岁月往事。近年来，曾有人热心于为这座港口城市粘贴一些“海文化”“长城文化”的标签，而我却觉得近代移民劳工和其所带来的多方民风习俗给这里留下了深远的影响，在诸多的文化热中，是否应有“劳工文化”的一席之地呢？

充满梦想的年代给了我多梦的少年时光，海滩上涨潮的海水常常在梦里冲过那条黄沙土马路，淹没了胡同口的大树，追赶着人们拼命地奔跑，或是海上的轮船山一般地开上了惊恐万状的海滩，让人们在睡梦里惊叫着醒来。海，离我们的家门太近了，每当冬天来临时，再贫困的人家也要弄些破棉帘、草帘捂紧门窗，留住温饱的梦。历史，犹如一位不肯远去的老人，在我们的面前走来走去，把许多混杂而真实的往事带进我们的日子。海边上的历史以非同于概念中的历史的湿度，散发着一种可以呼吸到的拥塞与苦涩，向生活传递着一种命运的昭示。而海边上的岁月仿佛因有了高盐含量的历史底色，回眸一瞥，便觉得那个时代有说不出的厚重。

缘于对故土往事的追寻与发现的独有情怀，常常使我生活在历史皱折的细节之中。我眼里的历史似乎不是概念化的，也不是文字的，是用追溯和猜想的砖石砌筑的，是画面似的摄入内心的。尽管这种用浮想剪辑的东西是无序的、空间的，甚至是斑驳杂乱的，但却是生动而真实的，是最容易让人穷尽思想而想入非非的历史存在。码头上有着许多让人眺望的东西，人们熟稔港口的往昔沿革比史料上记载的还要丰富详尽。但唯独“以港立市”的脉络在那些口头和史料的传承中被忽略了，“以港立市”与“以市兴港”孰先孰后，成了一段被淡忘的记忆。其实，不论是近在眼前还是纵贯古今中外，大多的港口城市都始发于“以港立市”，我们的城市应当从开港之后才有了近代“城市”的意味。那些至今尚存的最早出现的洋房、洋街、洋马路，包括当年那些洋人，大多都是自从建了老码头以后才有来头。许多谓之近代城市化西洋景先是走下了老码头，走上海沿，再走进腹地繁衍开来。当年，以老京山铁路线为界，当铁道北还是一条马路、几条小街巷的集市模样时，从铁道南到老码头的地段上，西洋别墅、饭店餐厅、俱乐部、舞厅酒吧、教堂、花园、球场和洋学校，还有港务人员聚居的制式房舍小区已纷纷攘攘地挤作一片。赫赫有名的开滦路贯通着一条当地最繁盛长街，在它那铺有黑黝黝的刻有洋字母的缸砖路两旁，尽是欧式风格的洋房。至今，人们还可以从一些衰败颓废的门脸和廊柱上找到昔日繁华奢侈的影子，已经失去完整皮肤的开滦路，犹似鱼刺骨图衔接起掩藏着岁月隐秘的街巷和院落。

在我上小学的时候，曾被带到老光明路一座雕有洋式三角门牌楼的院子里上过一阵课，那种院落是我在工人村子里没有见过的。记得一个雨天，下课的时候同学们都挤在室外廊檐下嬉闹，我却从院落围拢起的阴冷空气中，感觉到院子里弥漫着一种说不出的味道，不紧不慢的雨水在铁皮瓦房檐上敲打出复杂的声响，让我产生了许多稀奇古怪的猜想，对那个阴雨的院子有了别样的记忆。几十年后，我在翻阅一本有关港务局的史料时发现，那时，我或许在无意中重游了某座西式小学或洋买办馆所旧地。不谈翔实与否，但我却总觉得有历史和没有历史的地方是不一样的，就像有思想和没思想的人一样，亲历后总会留给人不一样的感觉和印象。

端午时节逛码头，在我童年仅有的一次记忆里，是个万人空巷的日子。老东山大小码头一带人山人海，我随着大人挤在人流里，从头到尾也未能看到海边上乌龟驮石碑的影子，但我却看到了与京山线铁路上不一样的火车头。一辆在码头铁道上开来开去的火车头前竖立着一根高脖烟囱，司驾楼后面没有挂煤料车厢，只是像背包袱似的斜挎了一个煤斗，样子古怪而难看。火车拉响的汽笛也显得有些单薄、短促和嘶哑，缺少老京山铁路上火车发出的那种粗犷、激越的吼叫力量，缺少让人听了心驰神往的感觉。可惜没有人关注我的发现，也没有人告诉我应该怎样逛码头，大人们都在忙乱地逛来逛去。看海看码头，还看什么呢？现在想来，在那样一个倾城而出的日子里，大人们肯定还少不了多看看同类的意味。尤其在城市化水平极低的当时，一年一度逛码头，不啻是个值得人们尽情享受生活的时光。

在我所游逛过的街景里，最喜欢的还是开滦路岔口的缸砖路，走在那用乌黑整齐的缸砖铺成并已磨得光亮的路面上，我常常猜想，是谁铺设了这样一条洋马路？又是怎样的人们曾经走过这条马路？我把老电影里许多故事都拿到这里对号演绎一番，想象着洋马车、洋皮鞋踩在缸砖路面上发出的声响。我还想到了当地人传闻中的那个齐尔顿先生，这个绰号“老球”的中国通，曾两度出任旧港务经理。他诡计多端，性情狡诈，对中国劳工专横跋扈，加之在旧地方政府和英国政府间应付裕如，闲暇时怎能不到这仅有的洋味小街散步逗留一番呢？或许一时兴起，还会随手拈几件古董小品打道回府。然而，当西方列强的旗子和营盘在港湾一起消失后，沉重一页便永远翻过去了。但是，历史从未离我们远去，总在让我们有所思地生活，有所追寻地生活，拥有一份属于自己的情感。当历史进入了20世纪后期，耸立在东山上的老灯塔的一侧，又矗立起一座现代化的灯塔守护起蓝色的港湾。大规模的港口建设展开后，人们还远不像今天这样深知、了解建设能源大港对国计民生的重大意义，也很少关注港口扩建给这座城市带来的重量和影响力，还时常流露出对一些海滩、树林、村落的怀旧之情，乃至对港口建设给城市车流道路带来的重负偶有怨言，但随着城市建设快速发展，人们开始感悟出了港城振兴的互为关系，感到了一种历史的选择意味着多少人命运的改变。大规模开发建设日新月异地改变着港城的容貌，有许多未曾走进历史的故事的消失便是永远的消失。为了寻找更多一些有关港城的记忆，我常常带着许多生命印记去面对即将消失的岁月之舟。

建成于20世纪60年代初的国际海员俱乐部，曾是港城上下最豪华的建筑，主楼正中央建有大会堂式多层阶梯，周围有檐廊、悬挑、晾台、女儿墙等古典对称结构，整体线条错落有致，呼应变化，颇富传统审美韵味。楼前广场围有铁艺栅栏，工艺考究，不失典雅风致，又显几分欧式洋味。加之大楼只为从船上下来的人员专供，不对百姓开放，尊贵中又蒙上一层神秘色彩，普通人们只能敬而远之。待到港城被列为国家十四个沿海开放城市后，俱乐部才渐渐失去了往日的禁忌，沦为一般的餐饮经营场所，并且被改造得面目全非，令人不堪忆往了。时代的脚步太快了，以至好多镌刻在生活角落里的岁月还没来得及识读，历史便翻开新的一页。

“天开良港”所带来的港口贸易、铁路运输、老耀华玻璃工业、矿产资源和随后伴生的劳工移民及聚居区，为昔日的渔村荒凉之地勾画出了20世纪较为典型的工业港口城市的风貌。而今，随着能源大港规模和功能的健全完善，城市建设也有了更多的选择，有了更多的表现力，通过对旧城的大规模开发改造，调整城市格局，开始有了时尚和消费的主题，开始了港城生态型、园林化的进程。这对于出生在20世纪五六十年代的人来说，通过对生活的追溯与亲历、感应与甄别，我们认同并记住了那段忍辱抗争、发愤图强、改变命运的历史，以历史的视觉见证了港城命运的起伏转折，见证了世纪之巅的崛起。

一个风和日丽的秋日，在老东山灯塔下航标博物馆内，我看到了一樽落地陈列的灯塔上的灯冠，古铜色的灯身酷似一顶硕大的盔甲，古朴雄浑。历尽风剥雨蚀的透明灯柱，依旧光彩夺目。静寂中仍不失轩昂气度，凝视间犹存镇守一方海天的神魂。如果我记得没错的话，它就是曾无数次照亮我们岁月之梦的老东山灯塔。久别重逢，依然给人一种思接百年、心驰千里的感觉，牵动起一种对历史与命运的缕缕情思。回眸百年沧桑，展望百年港湾，一种情感上的追寻与发现，常常让我感到一种幸运，让我感到一种生命的需要和延伸，让我深深懂得，亲历的曾是一个令人感念难忘的时代，让我的内心拥有了一个世纪的潮起与潮涌。

突破长城

龚 宏

一

站在古长城上下望，小山村的旁边是一片平川，满川的高粱花随风摇曳，碧蓝的天空与缤纷的果实交相辉映，灿人眼目。但我的心情却没有因此平展舒畅，只感到一股庄重、古肃的情绪在逐渐弥漫、升腾，心脏也仿佛一面旧鼓一下一下由缓慢到急促地颤动着。

抬头四望，平川两侧山峰上两座遍体沧桑的烽火台闯入眼帘，犹若两位神祇把守着川口，逼视着每一位擅入者的魂灵。尽管在长城边生活了这么多年，但这一刻，才体会到一种真实的触摸。风化的砖粉显出古旧老迈，矗立的烽火台又证明了曾经的威壮雄风。这鲜明的比照，如暮年的烈士让人不忍深触其遍布创伤的心灵。长城是不废的血脉，激荡成无声壮阔的河流；长城是不老的时间，诉说着无尽悲喜的沧桑。抚摸城墙，我想象着先人们背负着沉重的砖石沿着陡峭的山路攀援，到一个较平的地方，放下砖石，擦擦脸上的汗水，摸摸肩上的血肿，抬头望望不远的山顶，负起砖石继续一步一步艰难地爬升。长河不语，落日无声，沉重的攀爬中，生命被涂上了一抹亮色，一个民族的图腾被垒积起来，一个人类的奇迹现出了雏形。

顺着残损的垛口，我努力去找寻那些戎装士兵的遗迹。夜冷风寒，他们瑟缩而立，面前是一个个剽悍的游牧部落，身后是以他们为生存保障的父老乡亲。关外，一座座毡毛大帐里此刻正炉火熊熊，一代雄主们正密谋着一次新的战争。生存或死亡的古老命题在这里轮回演示，历史就在这墙里墙外一页页沉重地掀动着。长城，忍受着塞外的苦寒与寂寥，经历着风雪的抽打与侵蚀，更蹒跚着战火与哭号相伴的民族与人生的惨痛步履。一部民族史几乎就是一部边境战争史，“饮马渡秋水，水寒风似刀。平沙日未没，黯黯见临洮”，大战前的肃杀、森严扑面而来。然而浩浩狼烟中也点缀着一些艳情故事，在“匈奴数苦北边，士卒罢于兵”的情况下，女人登场了。长城目送着一位位绝代佳人顶风冒雪，奔赴塞外，用身体甚至生命去换得一时的和平，于是，战争的残酷里又抹上了一笔红艳的凄凉。唐朝以后，游牧民族已进占到河朔、幽燕一带，长城被抛在了身后，战略上已无屏障作用可言。但长城一经建起，一个民族的性格就被固化了。尽管辽阔粗犷的北方有着磅礴的王者气派，有着冲来荡去的野性风格，但一踏入长城，民族的性格就如同被灌进模具的水泥，丧失了灵性的闪动和思维的飘逸。生命的热度已经温化，原始的奔放豪情也固化成砖，或风化成粉，融进凝重的长城。

二

我曾查询过一些资料，试着理清长城及长城文化的脉络，但让我吃惊的是，在古代的历史里竟很难觅到长城的踪迹。被鲁迅誉为“史家之绝唱，无韵之离骚”的《史记》中只有一处提到了长城，编年体的《资治通鉴》中也同样极为简单。即使按照英国《剑桥中国秦汉史》所述，长城实际长仅3000多里，这也不是一般的小工程，况且有近30万人的军队和民夫参加“暴师于外十余年”，这绝不会不引起史学家们的注意。那么如此简单的记述只能说明，长城在当时除了军事意义外，并没有文化意义上更多的附丽。直到魏晋以后，由儒释道三家的结合，汇成中国文化的主流，偏于乐天如命、安于自然生活的思想便普遍生根，这种思想与沉稳厚实的长城一旦结合，长城文化的架构才得以正式确立，长城才具备了多重的文化内涵。一方面是实在的品性，清静的情味，极具忍耐力又极富同情心；另一方面又深废浅售，舒则瓦安，回避和无视苦难与挑战，在个体自足的欢乐中泯灭了民族进化的生力。这冰冷厚重的长墙后面，已迸发不出鲜活的思想。古代中国极为崇尚、战国时期极为普遍的游侠风气与心理，在汉代已化作余风流韵，到魏晋时代就已荡然无存了，长城终于显露出强大的文化惰力。

三

夜色笼罩下来，古长城默默地蹲踞在山上山下淙淙的小溪上，萤火虫在轻轻地飞。山村中每家的院墙里都有一畦菜地，生活温饱、静谧安乐。但在这宁静与安详中，我却强烈感受到长城文化的涌动。村民们天天都在长城脚下生活，祖祖辈辈都与之进行着无声的交流，这种交流是单向的强力喷射，是无可理喻的冲撞和不可抗拒的降服。一种文化一旦确立，其生命力竟蓬勃如斯，浸润的力量竟无所不至、无所不在。村里的年轻人大部分都外出打工了，虽然在长城下出生、成长，但他们比之于前辈更少一些牵绊，更多一些对热烈生命的期盼。也许有一天，他们会被老人们以衰老、疾病，以其他各种理由牵扯回来，但生命的信号一经发出，就一定能一波波地增强并散发开去。

长城破败了，夕阳残照，衰草茵茵，暮鸦低回，霉迹斑斑。作为旅游景点，认真地修缮是必要的。但作为一种文化、一种心态，走出去，哪怕是跬步前行，其结果也必将是一次宏大的突破。突破是一种大胆而缜密的自信，是一种豪放而平实的成熟，是一个高度文明的确立与重建，是一段热烈生命的觉醒与复苏。夕阳下，长城渐渐隐去，远处的大海，正挟着一股新鲜又陌生的气息，奏响洪钟大吕的潮声。

大 汤 河

刘立勤

一

地方志说：汤河，亦称大汤河，因其上游有汤泉而得名。位于市区西部……河道全长28.5公里，流域面积184平方公里……越山广公路、京山铁路，注入渤海。典型山溪性河流，源短流急……每遇暴雨，河水暴涨暴落……

早先，住在城里的人们，不叫它在志书上的名字，叫它“头道汤河”。因为在它西边儿，有一道不起眼的水流，和它并肩而行。那水流人们叫“二道汤河”，或者干脆呼之为“小汤河”（这大概是志书上“汤河，亦称大汤河”的成因吧）。

那个年月，这座城市被庄稼地和海滩紧紧地包裹着，瘦弱得可怜。城里人要见大汤河，得一直往西走，经过零星的村落，穿过一片片荒滩和庄稼地。再往西望去，隔着大汤河，又隔着一片荒滩什么的，就是接下来的小汤河。

如此说来，所谓“头道汤河”“二道汤河”，就是顺理成章的事儿了。

二

好多年以前的一天，父亲用自行车驮着我，来到一片水边儿。

记得，父亲是来钓鱼的。

回忆起来，除了父亲的一两个动作，我眼前只是一片灰白色的水，一片无遮无拦、铺展得没有边际的灰白色的水。

成年以后，经过一番推敲，我认定：那片灰白色的、漫无边际的水，就是大汤河。

三

今天，坐在你的身边，我写你——大汤河。

四

父亲和大汤河有缘。

大约是 1983 或 1984 年间的事儿。父母告别大杂院儿，住进大汤河边的楼房。那片沿着河岸排列的四层楼房，名列这座城市头儿批居民住宅楼之一。每所居室的必备之物，一铺火炕，一座灶台，称得上这楼群的特色了。

我们六个子女中的五个，已经独立门户。小妹随着父母喜迁新居。

打我头一回见识大汤河，历数春秋二十几载。某一天，父亲又一次在大汤河边钓鱼了。

我保存着这么一张照片，我拍摄的：父亲手持钓竿，临水而立，我六七岁的女儿蹲在爷爷身边，两手托腮，静静地凝望着阳光闪烁的河面……

那时候，大汤河临近入海口的地方，汤河桥朝向的一侧，立着一道水闸。雨水多时，免不了时常开闸放水。那时候，浑浊的巨流，夹带着枯枝败叶和诸多说不清是什么的东西，自西北向东南，一路喧哗着扑向大海。

枯水时节，河道里的汪汪水洼、道道细流间，杂乱无章地舒展着一片片、一丛丛芦苇。各色的野花儿，在湿地上肆意地烂漫。

河两岸，歪七扭八的洋槐和老柳树间，是童年、少年的世界。合适的季节，总有孩子们在树行子里的杂草地上捕蝴蝶、捉蚂蚱……

五

大汤河沿岸修建成公园，是这前些年的事儿。

城市建设局的一位朋友说，他们要拍一部反映这座园林的电视片，托我写个脚本。

我写了。为了节省点儿时间，今天，就从那篇东西里摘录几句吧。

2002 年，市委、市政府……决定对大汤河沿线进行综合整治……10 月，大汤河带状公园工程破土动工……2003 年 6 月……第一期工程如期竣工。

这项工程……护砌、维修了 3.1 公里的河岸，铺装了 3 万平方米的小型广场和林间小路，种植各类乔木 3154 株、灌木 1.3 万株、花卉 38.7 株，铺装草坪 9.4 万平方米，栽植地被植物 2.6 万平方米……配置了音响、花架、座椅、喷泉等多种园林设施。

大汤河带状公园，改善了市民的生活环境，给人们提供了又一处健身、休闲、娱乐的场所。

这堆公文一类的词句码放在散文里，似乎很有些不伦不类的味道。可是，为了把事情说得清楚点儿，我只能如此而为之了。

有道是，散文有散文的妙处，公文有公文的优势。偶尔，让它们掺和掺和，挺有意思的。

大汤河带状公园的后续工程是河流临近入海口的地方。那座狭窄的老桥被拆毁了。原址上，伸展开一座很有气势、很有现代气派的桥梁。再有，一道橡胶坝取代了早先的水闸。从此，大汤河不再有急流汹涌，也丢弃了干枯的岁月。

那位朋友约我写电视片脚本的时候，这两件挺重要的事儿已经完活儿。可我，把它们写丢了。这，让我不大好意思。

六

大约跟岁数有关系，近年来，看电视上的天气预报，成了我的一大嗜好。到了正点儿，什么这个片儿那个剧的，我统统不管不顾。

前些天天气预报说，石家庄一带的气温超过了 40 摄氏度，比我们这儿高出十几度。

干晒几天，闷热几天，下几场透雨，再凉爽几天……在“全球变暖”的大气候下，我们这个地界的夏季，似乎越来越短了——如此说，或许，没什么大错儿?

偶然和朋友聊起这个事儿。我说：“这是因为，不光有湿润的海风，我们的花草树木，也渐渐繁茂起来了。”

说这话时，我想到的就是大汤河和它两岸的旧貌换新颜。

这句话，是我的感受，是我时常漫步于大汤河河边时的联想和感受。

我不懂气象，不知道这话对不对。可我相信，微小的气候变化与物种生存环境的改变，一定有着千丝万缕的瓜葛。

七

这辈子，父亲没得过什么大病。

退休后，他又寻了份儿差事，一直干了有小十年。往后，差不多每天他都要到大汤河边转转。只是，他再没钓过鱼。

再往后，他不大下楼了。他时常倚靠在阳台上，眺望斜对面的大汤河。他眺望河岸上柳丝飘黄、地面泛绿，眺望河西域水平如镜、或水流汹涌，眺望裸露的河道上芦花飞雪、枯草摇曳……

某一天，阳台对过儿，隔着一条街面儿，紧依着大汤河，矗立起几栋新楼。父亲再也看不到大汤河的身影，再也看不见它的日出月落、春秋冬夏了。

大汤河沿岸拓展成繁华的园林，父亲无缘亲历，虽然不过咫尺之遥。但是他，依旧坚守着阳台。

八

有时候，我想：倚靠在阳台上的父亲，或许，在想象大汤河的现实;或许，他在搜寻、在咀嚼、在回味大汤河身边的过往岁月。这其间，有没有他用自行车驮着我去会见那一片灰白色的、漫无边际的水面的情景？也或许，他是在欣赏楼下叫卖蔬菜、水果的摊贩，欣赏街面上往来的车辆、行人……以那份儿喧嚣，打发寂寞的时光。再或许，他只是要晒晒太阳。

父亲患上脑血栓，是两三年前的事儿。父母都八十多岁了。那几年，我们兄弟姐妹几个，每周轮流到父母家看看。

父亲发病的时候，赶上我们两口子守在他旁边儿。快做午饭时，父亲说，要买块儿豆腐。临近饭点时，总有个卖豆腐的，推着三轮车，吆喝着，在楼群里头转悠。父亲用塑料绳拴上个篮子，想吃豆腐了，放一块钱在篮子里，候在阳台上。卖豆腐的吆喝过来，他往下呼唤一声“豆腐……”，顺着阳台把篮子吊下去，买卖就成交了。那天，父亲叨咕说那绳子怕不够长，他弯着腰，在阳台角落的杂物堆里翻腾绳子。绳子没找着，他却一手拄着阳台，歪扭着嘴巴，躬身在一片白花花的阳光里，动弹不得了……

那天的太阳，好像特别毒辣。那天的大汤河，波光闪烁。

九

父亲的性命，算是保住了。然而，突然发作的脑血栓，给他留下了致命的后遗症。他口齿不清，动作迟缓，表情呆滞。有时候，挺正常的样子，突然一下子就犯起糊涂来，直着眼睛，说一些云山雾罩的话。拄着根拐棍儿，颤巍巍地，这屋那屋转悠着，忽然间，他会干出件让人意想不到的什么事儿……

父亲，用他独特的思维，指导自己的行为。用“老小孩儿”之类的言语形容他，好多时候，远远不够用了。

我不清楚，如此年纪，除了脑血栓，父亲还身染何种疾病。只知道，严重的便秘死死纠缠着他，令他片刻不得安宁。他把自己，封闭在狭窄的空间里。他很少再倚靠着阳台，眺望外面的世界了。

十

我们给父母雇了位保姆。对保姆，我提出两点要求：一是帮着母亲做家务；再有，倘若晚上，或是我们几个没人在父母身边的时候，父亲出现什么意外，马上打电话通知我们。我反复叮嘱她，第二点至关重要。

我们兄弟姐妹几个，只要家里没什么大事儿，依旧每周轮流陪伴父母。不过，只是在上午或者下午。

十一

有天早上，我刚起床，电话铃响了。听到那保姆声音的一瞬间，我意识到，父亲出事儿了！

可这一次却是母亲，母亲出事儿了！保姆带着哭音儿说，往常这个钟点儿，她早就起床了。可今天，怎么招呼她也不醒，使劲儿摇晃她，她不动，也不醒……

我乘出租车赶到大汤河边，差不多一路小跑地，闯进父母的家门。

母亲还在睡着。她睡得香甜，睡得安详、舒坦。

轻轻抚着母亲的头，我感觉到，她的白发，那么干涩、那么稀疏……

自从离开母亲的怀抱，头一回，我和她如此亲近。“妈！妈……”我握紧母亲的一只手，伏在她的耳边，一遍遍呼唤着。过了好长时间，仿佛从一个遥远的地方，隐约飘来一缕回音：“没……事儿……”

我的眼眶，一下子湿润了。

十二

昨天晚上，母亲，吃了过多的安眠药。

十三

住进楼房后，母亲极少下去活动腿脚（父亲发病前，生活必需的买菜之类的活计，都是他一手操持）。我们没少劝告母亲，说人到老年，多到外头溜达溜达，大有益处。可她不听，总是用“不爱凑那个热闹”之类的言语来应付我们。想来，这是她患上失眠症的根源。为了晚上睡得安稳点儿，那么大年纪了，母亲很少在晌午躺上一会儿。

这两年，除了白天闹点儿恶作剧似的事儿，到了夜间，父亲也不肯安静。有时候，大半夜的，他会突然吼上两嗓子。或者是，活脱脱一个健康人似的利落地翻身下床，犄角旮旯、翻箱倒柜地搜索一通，嚷嚷着要找个什么东西……定量服用安眠药，对母亲来说，起不了多大作用了。母亲太累了！

好好地睡上一觉，是她的奢望。甚至于，她要长眠不醒。我这个猜想，后来，从母亲嘴里得到了证实。

十四

父亲生于 1924 年，卒于 2008 年，享年 84 岁。11 月 13 日，是父亲的忌日。

地方习俗讲，73 岁、84 岁，是人生的两大关坎儿。父亲，无力迈过他生命之旅的第二道关坎儿。

十五

那天到父母家，大姐比我们都早。可是事先，她没有接收到任何信息。

保姆忙着给我和“120”急救中心打电话的时候，她正在匆匆奔往大汤河的路上。

大姐说，也不知道是怎么回事儿，那天她突然想早早到父亲身边看看。一进门，见到父亲的样子，她抱着父亲，把耳朵儿凑到他嘴边，不停地呼唤他。于是，大姐听到了长长的“哎”的一声叹息。

我比大姐晚到一步。接下来，是“120”救护车……

医护人员用听诊器、起搏器什么的忙活了一阵子，一位女医生宣布："人，不行了。"我下意识地看了看表：8 点 45 分。

实际上，他们开始例行公事的时候，"人"就"不行了"。

死神带走父亲的时间，应该更早些。保姆讲，那天大姐进门的时候，父亲"已经咽气了"，我无从得知父亲辞世的准确时间。

大姐突然要赶到父亲身边，是亲人之间的心灵感应？她听到的那声长叹，大约是她的幻觉、她的希望吧？

父亲突发疾病，我就知道，他在世的日子恐怕不多了。我拿定了主意，绝不能放过和父亲见最后一面的机会。

一位朋友到贵州省的遵义参加笔会，邀我同行。贵州我没去过，自然更没拜会过遵义。犹豫再三，经不住那名声和异域风情的诱惑，我应承了下来。可是，还在前行的路上，我就老是琢磨，千万千万别在那儿耽搁得太久。笔会结束后，朋友提议在附近转转，最起码看看黄果树瀑布什么的。"要不，"他强调，"等于咱白来一趟贵州。"我没同意他的主张，只想着赶紧回家！朋友理解我的心情，又提出绕道长江三峡……说，计算起来，也就是多走一两天的事儿。

畅游长江三峡，是我一个长久的向往。然而在游轮上，观赏着大江奔涌的碧波，我心里想着的却是大汤河，是大汤河身边的父亲……

十六

最终，我没能让父亲最后看我一眼。最终，父亲没能和他的子女们见上一面。

注定了，父亲临终之时，只有母亲陪伴在他的身旁。

十七

这两年，在吃喝上，父亲挺正常的。有一段时间，他的脸色少有的红润。好几次在一起吃饭的时候，看着他吃得那么香甜，我开他的玩笑说 :“爸，你比我还能吃呢！”

父亲辞世的四五天前，已不能正常进食了。母亲念叨着，要我们“商量个办法”。我把几个人聚拢到一块儿，议论了一番。结果是 : 谁家都有一堆事儿，不过先克服克服——用不了几天，父亲就会恢复过来的。大伙儿轮流到父母家的时间，暂时延长到从早晨到晚上。剩下的事情，托付给保姆……

过后，我才明白，母亲是说，父亲挺不住了，该操持操持他的后事了。可当时，我们谁也没弄明白她的意思。

父亲与病患抗争了两年的时光，谁承想，他会走得那么急促！或许是，父亲的病患，把我们牵扯得太久了，有关他的事情，在我们的精神和心理上，很多时候，处于麻木或者半麻木的状态。

有一段时间，我用“因为，我没有过类似的经历，所以……”及其他等等的什么来化解我对父母的愧疚之情。

十八

在陵园，安葬好父亲的骨灰，大姐拜倒在碑前，哽咽着:“爸，我们不懂事儿。我们……没想到……我们……”

是的，我们“没想到”。我们，真的“没想到”。

母亲“想到”了。可是，母亲不愿意把话说得太明白，她不忍心，跟我们把话说得太明白。我们，不能用“没有过类似经历”来安慰自己 ; 不能用“谁家都有一堆事儿”掩饰自己不能为长辈尽上全部孝道的行为 ; 更不能用一句“没想到”告慰父亲的在天之灵。

“我们不懂事儿”——是的，我们太不懂事儿了！我们是孩子，在父母面前，我们永远是不懂事儿的孩子。虽说，我们之中最小的一个，也已年近半百。

十九

不清楚“驾鹤西归”是谁发明出来的，我要说的是，这个词儿，美妙极了。

试想，白云悠悠、碧空如洗、清风徐来……穿行于其间，何等舒心爽意！

父亲，一身轻松地去了。留给我们的，是终身的遗憾！

二十

我，注定了和大汤河有缘。

我陪伴着母亲，和她一起，度过一段日子。

在大汤河岸边漫步，是我每天的必修课。

二十一

大汤河波光依旧，水流依旧。

时光，散漫于大汤河周身，从容依旧，清闲依旧……

一天傍晚，我在林间漫步的时候，见到几位忙着干活儿的园林工人，他们在拆除一尊雕像。那雕像底座上的题名为：二泉映月。阿炳老先生一手抚琴、一手持弦，坐于石凳之上，他微垂了头，躬身前倾，面现沉思。一位小童，静静地侍立在他身旁。从小童的表情上看得出，流淌自老先生指尖的、美妙的乐音，在他心中萦绕……

自然，这是那尊最初的、镀铜的雕像。

某一天，它成了这般模样：老先生手拉的弓弦儿没了，那二胡失去了琴柄。更凄惨的是，他身边那位小童．只剩下一双“侍立”的脚（这写实的艺术作品，一下子，走向了某种流派）!

“拆了？”我问他们，“为什么……”话刚出口，我就意识到，我这个问题有多么愚蠢！

“……换更好的。”半晌，几人中的一位年长者淡淡地回答我。说这话时，他没抬头，继续着手中的工作。从那淡淡的语气中，我体会出他心情的沉重。而那句“换更好的”，再愚笨的人，也辨得出敷衍的味道。

一件奉献给公众的美丽的艺术品，被毁灭了。毁灭美丽的人，只是为了获取，它包裹着的、薄薄的一层铜皮！

二十二

漫步于大汤河身边，我时常想到这两个字：尊严。

大自然造就的，万物的尊严。还有，人工和智慧造就的，物体的尊严。如，那尊雕像。

大汤河身边的一枝一叶、一草一木，水流里游动的一尾鱼，飞掠过林间的一只鸟儿，绽放在枝头的一朵花儿……甚至于，静卧于草丛中的一块冰冷的石头，都有着自己的尊严。

人类，万物中的一个物种，充其量，不过是万分之一。

人，自然不可以自卑。但是人，更不可自以为是、自命不凡。

许多时候，人应该把自己当成一株草，或者一尾鱼、一棵树、一只鸟儿……站在它的立场上，用它的思维和自己的一颗向善之心，体会它的尊严——也是，人类自身的尊严。

世间万物，每个生命，都有着生存和繁衍的权利。这权利，就是尊严，生命的尊严。

生命的个体，从诞生走向消亡。整体的生命，绵延不绝（如果，可以说“不绝”）。万物的生命，在或短暂、或漫长的里程中，每时每刻，每分每秒，无不闪耀着尊严的光辉。

二十三

在大汤河岸边，我结识了一位相面的老人。

那个小摊点儿，无人问津，老人枯坐在一片阴凉里。也是闲得慌，我凑过去，和他唠起了家常。聊到兴起，老人上下打量着我，说：“看你这面相，定是个长寿之人。”他拿过我的一只手，埋头细看起来：“瞧这儿……这儿……83 岁时，你无疾而终。”

转天和几位朋友吃饭，酒酣耳热之时，我说：“有个相面的老先生说，我得活到 83 岁——太惨了！”大伙儿都笑了。

朋友们以为我在说笑话。我，却是当真的。那不过，是我实实在在的慨叹。

二十四

父亲去世那天，医护人员围着他忙碌的时候，我心里一直念叨着：“爸，别醒，别醒过来！千万别醒……千万、千万……”

有几次，我跟朋友们提起这事儿。“不是我不孝顺。”我说，“我，实在是，怕他再没完没了地遭罪。”

这，是我的真心话。

二十五

母亲讲，父亲无法正常进食的那几天，没再折腾过什么。大多时候，他静静地睡在床上。

静静地睡在床上的父亲，该是身心轻松了！静静地睡在床上的父亲，不再栓塞的思维，从人生的纵深处出发，游荡于一个空灵的境界。在那个空灵的境界，他一路捡拾着、把玩儿着，曾经的酸甜苦辣，曾经的悲喜和荣辱。

两年多了，父亲时常胡乱抛弃自己的尊严。但最终，他怀着一份儿尊严走了。

人，啼哭着，投入这个世界。在一连串嘈杂的岁月里，或步履维艰、或潇潇洒洒地绕上一遭儿。临到头来，痛痛快快、自然而然地离开这个世界，给自己、给亲人一份儿尊严，是一大幸事、一大快事。

二十六

父亲告别大汤河，是他出殡前一天的午夜。没有月亮，没有星光，也没有风声。

大汤河身边，花草不再，鸟雀不鸣，树木萧瑟、肃立。

沿着路灯昏黄、散漫的光亮，我们一群人，簇拥着纸人、纸马、纸车，缓缓西行，缓缓西行……火光，映红了闪烁的泪光（这，不是所谓的迷信。这传统的、简单的告别仪式，是对故人的祝福；是后人，给自己心灵的安慰）。

从大汤河身边，父亲启程远行。这一去，他永不复返！

大汤河，你看见了吗？冬夜的大汤河，静默无语。

二十七

大汤河……我的——大汤河！

少了人类的感恩之心，少了人类的珍惜之情、敬畏之意，有一天，你也会衰老，也会枯萎……也要悄然离弃这一方土地吧？

那一天，你养育的鱼、鳖、虾、蟹，要伴你远行；你滋润的这方土地，也要荒凉……不着自己的一份儿尊严。

倘若，果真有那么一天，世代生活在你身边的人们，当作何感慨呢？

大汤河，我的大汤河呀！

那些刻骨铭心的记忆

娄春生

汤河公园感记

生命与水的渊源，使人对河流总怀有深深的感情。还是生命与水的缘故，使人对河流有着特殊的记忆。

我第一次见到汤河，还是在少年的时候。那时，汤河还是我们这座城市野郊的一条河流。我和伙伴们从城市边缘的耀华村出发，走过大片的湿地、沙滩，穿过树林，便来到了汤河边上。从北部山区蜿蜒而来的汤河，在我们面前流向南面的大海。站在荒凉寂静的河边上，看着长河入海的情景，当年的我，无法想象那看似柔弱的河水，是怎样历尽艰辛走到大海的，但河水与海浪相接的缥缈无垠的自然美景，还是深深地打动了我，吸引了我，使我一次次走过森林，走向汤河。而每一次行走都是充满发现的行走，充满梦幻的行走。林间沙丘下曾掩埋着一座座坚固的碉堡，沙滩里还埋有锈蚀的枪弹，还有靠近河边的树下一座军人的坟茔和曾有的传说，常常带着未曾谋面的年代走进我的梦中。倘若河水能言，树林能语，风儿能说，或许会让我们走进汤河边上曾有过的岁月。

我喜爱河流，尤其喜爱浸润着历史沧桑的河流。一旦相见便难以忘却，就像人不能忘记母亲一样，不能忘记与自己生命邂逅的河流。

汤河开始有了岸的感觉时，大概是20世纪七八十年代的事。这时，城市化的脚步已经跨过汤河的界面，汤河已变为流经市区的河流。当人们用石头和水泥砌筑起河的堤岸时，汤河并未因为城市的扩展而闪烁出它应有的风采。在很长的时间里，它像被遗忘和沦陷的地带，有经年累月排放的废水，有肆意倾倒的垃圾，污染窒息着河流的气脉，沉疴湮灭着河流的灵性。庆幸的是这座城市的一时匆忙和失误，并未使汤河在颓废中衰竭，依然柔顺的河流在进行着命运的抵抗。它虽不见经传，但似乎有着所有河流执着的性格，它平躺在地上，却拥有着天空。沉默的河流似乎更有自信，等待着生机重现的时候。

20世纪80年代末，在靠近汤河口大桥一侧，耸立起一座革命英雄纪念碑。一座城市总应该有不能忘记的东西，有应该纪念的东西，有应该贯通的精神脉络。而所有对过去的纪念，都是为了新的开始。当时，居住在汤河边上住宅小区的我，或是清晨、或是黄昏，常常循着人们在河边踏出的条条小路去散步。纪念碑下，逐步得到治理的汤河，景色虽说凄寂，但从长河入海处徐徐涌来的气脉，开始带走了城市拥塞疲惫的呼吸。每当我漫步在河岸上时，总有一种奇妙的感觉，仿佛身边有一条历史的长河，正从岁月的梦魇中醒来。

岁月如当歌，长河亦可吟。当我们用发展与美的目光重新打量我们的城市时，就会惊讶地发现，一座城市能有一条亘古未泯的河流真是一种幸运，一种美。而今，一座绵延几公里的汤河公园，通过人文景观的开发挖掘，艺术空间的创造，把历史的延续性和空间性巧妙地融合成为亮丽的城市景观。碧波荡漾、清风徐来的汤河，犹如一条生命的纽带，连接起人与自然、人与历史、人与岁月流动的脉搏，涌现着一个鲜明、鲜活的时代主题。社会的不断进步与文明的提高，当今的城市建设必须有更多更美的开创。通过人工艺术景观与自然风光的和谐一致，达到城市景观与运用功能的完美结合，为百姓创造优美的生活空间和健康环境，焕发起更多的生活激情和创造精神，已经成为现代城市建设的鲜明特征。或许正是对这种人文理念的认同和提升，为今天的城市建设添写了诗意的篇章。

金秋时节，市建设局调集了精兵强将，在绵延几公里的汤河沿岸上开始了改天换地的园林建设。为了建设好这道“因水成景，借景生园”的生态绿轴，领导们常常亲赴一线，精心组织，精心施工，精益求精，他们在全力以赴打造精品工程的同时，奋力打造着为民造福谋利的时代精神。在昔日贫荒积贫的汤河边上，构筑起了一条集建筑、园林和河流于一体的世纪堤岸、瑰丽走廊。

走进这座因水成景的带状公园，犹如走进了充满诗情画意的艺术长廊。古典园林的幽静含蓄，现代广场的刚健节奏，黏结着时代的生活气息，沿着汤河优美的曲线浓墨重彩地铺展而去，以渐变起伏的韵律，展现出生命与自然的主题。园区风景迥异，目不暇接，引人入胜，颇有“万物皆备于我”的奇特境界。曲廊亭阁，小桥流水，溪石斜径，虚实掩映，酷似不断线的珍珠，熠熠生辉。

园艺绿地，奇葩客园，石可坐可卧，精品广场星罗棋布。还有映月荷塘，水上乐园，画中游艇，多姿多彩而又风情万种。林间泉畔，春秋园地，休闲娱乐的人们，或太极、垂钓、舞剑，或健美、蹦迪、球毽，或吹、拉、弹、唱，在嵌满新绿的堤岸上，洋洋洒洒地描绘出一幅欢腾的风俗画卷。

在公园南端一组铭刻着中华民族文明历程的青铜浮雕前，当我把思索的目光一次次投向公园的至高点革命英雄纪念碑时，我猛然悟出，能把历史、文化、生命、自然纳入人文景观环境的建设，是件多么有意义的事情。古往今来，园林景观作为物质与艺术的财富，历来只是用来满足封建统治阶层贪图物质和精神享受的。造园艺术由劳动人民创造，却从未让劳动人民享有。如今，园林广场、人文景观已成为城市建设不可或缺的要素空间，成为人民群众须臾不可离开的共同财富和拥有。发展是硬道理，这是生命的呼唤，是真诚的呼唤，是历史的呼唤。

当我一次次走向汤河公园的时候，我想，我们心中还有着一种对美的呼唤。

迷失的街井

人有许多时光，都是在消化着以往的情感记忆。那些曾让人自以为是的生活，其实大多是我们不得不面对的生活。除了融入了情感的记忆，许多东西并不会永久地伴随我们。生活中许多东西都有着随时离开我们的品性。回眸过往的岁月，让人最为感念的或许不是怎样的拥有，而是曾有过怎样的离开。

在我出生和生长的老耀华工人村落里，每段街道都曾凿有铁头的压水井，好似棋盘上两个炮子位置立于街道两端。压水井的井头铸造得考究精道，人们只需提起压动尺余长铸铁握柄，井头便像欢腾的大铁葫芦涌出大团清水。大概为了有别于其他水井，人们就像习惯把火柴、蜡烛、钉子、铁桶等都叫个“洋”字一样，称压水井为洋井。从我记事起，洋井仿佛充满了一种让孩子们魂难守舍的诱惑，好多孩提时光都像飞溅的水花洒落在了井台儿上。我依稀记得，为了压出井水，我把井上压柄高高抬起，然后吊起整个身子，让洋井压出了童年的快活井水。清凉的井水让我有着说不出的亲近和眷恋，以至于在好长的时间里因找不到与水相对应的颜色，便一直把清澈透明的井水说是蓝色的，固执地认定水天一色。为此，还曾受到大人们的讪笑。如今想来，人的许多生活并不是从梦想开始的，而是开始于对身边事物的模仿比照，还有对看不见的事物的一些想象。

老耀华上下班的汽笛总会给村落带来一些忙碌，下午的笛声过后，是一天中担水人最多的时候。去洋井担水吃，不只是家家户户每天不可或缺的生活必需，还关联着人们许多对生活的向往与期待。水，那时对就地汲取它的人们似乎格外慷慨厚道，就连我们小孩子们随意压几下井头上的压柄，便有趵涌的清水跌入井嘴下的水桶。人们有足够的理由相信，水会日复一日地与自己长久相伴下去，没有谁会意识到，就地汲水的生活方式很快成为工业城市最后的风景。

人们执着地购置下心目中质地最好的水缸，精心选购和照料好家里仅有的两只铁皮水桶。但颇耐寻味的是，在当年担水人扁担两头罕有货色成双的水桶。多年之后，我才在我家一高一矮的水桶上悟出了其中的奥秘。原来，大多的家庭很少有能一并买进两只水桶的款项。窘迫和吝啬，让担水吃的人们难得有多一些的浪漫，人们像饶舌的妇人，从熟悉的水桶说到其主人，又从主人说起其水桶。饶有风趣的人们有被称为老呔的，也有叫老西子的，还有一些老山东云云。有了这般各色人等，本是饮同一口井的水，也就吃出了不同的滋味，这是让人徒生烦恼的事情。许多人似乎习惯于用不负责任的褒褒贬贬制造混乱，混乱着别人也混乱着自己。我就是在等待担水的井边上，莫名其妙地拥有了最初的生活困惑与怀疑,在薄暮时分的巷口,看到了许多与往日不一样的炊烟。

有水井当街的日子里,那个长挂脸、高鼻梁、留背头的维修工,比起负责维修房屋的瓦匠、木匠和电灯匠们，他配备着一辆驮有两只粗帆布工具兜的自行车，来来往往的很有几分风光。每查看到一口井，修井匠总煞有介事地捣弄一番。待他走后，洋井便会有一些让人兴奋的变化，比如压出的水团大了，新更换的螺杆转动更稳固了等等，想得出修井匠知道怎样恪奉自己的差事。冬天快到时，修井匠便带领厂里派来的人手，用厂里玻璃包装箱一样的木板，把井头井身钉成见棱见角的木围子，里面装满锯末后封闭钉死，只留压柄和接水嘴，确保在北方严寒冰冻时节正常使用。一口井的存在，竟使修井匠和与他有关的许多事情都有了天经地义的味道。这对当年的孩子们来说，很是奇妙，猜想起来也很劳神。但修井匠后来凭借独有的身份，轻而易举地打破了这种循环往复的秩序。一天，他用自行车驮来了一个用旧铁管箍焊制的劣质井头，很自以为是地换走了井台儿上那个漂亮的铸铁井头。这件让我惊讶得张大嘴巴的怪事，前来担水的大人们却都是一副若无其事的样子。看他们皱着眉头别别扭扭地轧弄着那个粗陋的怪物，我很想听他们说点什么，闹点事儿，可失望得很，似乎没有谁愿为此费点脑子，肯为大家管些公事。我很想像当时课本上放羊的孩子那样大喊一声“狼来了”，但始终没有喊出来，因为我不知道修井匠算不算狼。

担水吃的日子不知从何时起变得愈来愈复杂起来，同饮一口井水的人们，也不再只是吃出不同的口感，而是有了“乱世英雄起四方”的味道。街道上能用的洋井少了，井台上下挤在一起的水桶多了，垃圾也多了，修井匠更是难觅踪影。井台儿渐渐失去了往日的亲切和温情，每每再去学着担水时，便没有了那种急于成人的心境和快乐。仔细想来，人的情感由单纯到复杂，并非需要怎样的过程，只需改变一下你内心世界已有的秩序，扭曲一下善良的期待，就足以让人的情感异样深刻和复杂起来。

我从能挑起两个半桶水到能挑动两满桶水，经历了好长一段时间。就在我开始像大人一样为家里担水吃的日子里，厂里来人在巷口盖起了一座哨所似的尖顶小屋，人脸大的窗口下伸出一根葱粗的自来水管。居落里人们就地汲水的时光嗖地戛然而止，街头巷口的那些洋井，仿佛一夜之间就不辞而别了。水井带给人的感念、感伤，滞留在内心所有与水井息息相关的生活内容轰然塌落了。说不清是我们离开了水井，还是水井离开了我们。多少年后，我依然对那种离开有着一种难以释怀的情感。我曾刻意留心过几部有关我们城市的史志书籍，试图找寻一些释然。然而，让我有些伤悲的是，无人肯记取那靠水井汲养民生的街井沧桑。

生活中有许多事情似乎都是可以替代的，但有些东西却是难以替代的。诸如街井留给我的凄迷与离开。

忆起小火车

已经有很多年，秦皇岛人听不到小火车的汽笛声了。从我记事起，小火车便已是一把年纪，苍老得难辨雌雄，黑不溜秋的在小铁道上跑来跑去，说不出它从哪里来，又向哪里去，只有“喊喊喳喳”的车轮声，给了铁道边上的人们一份廉价的享受。日子久了，人们在那节奏分明而单调的“喊喊喳喳”声里听出了感情，听出与自己生活最真切的谐音:“喊喊喳喳,挣俩花仨”“喊喊喳喳,钱不够花”……

这当然是大人们的狡狯和颖悟。

在孩子们的眼里，小火车颇像一只未驯化的黑毛驴，浑身充满了调皮捣蛋的味道，除了不会尥蹶子外，在那两根窄窄的铁轨上玩尽洋相和把戏。说不出遇上什么不顺心的事情，便像放赖的毛驴子毫不理睬手忙脚乱的人们，径自撒欢地跑上一截子。急得车上车下的人们或是不停地往车轮下喂沙子，或是车把式似的张扬着大手，“吁——吁——”狠劲地吆喝。待把人们折腾够了，小火车才慢慢停下来，长吁短叹地喘上一阵，算是给人们一点面子。

小火车虽然有些喜欢恶作剧，但干起活来还是蛮卖力气的。随着一声声欢快的汽笛声，小火车从北面的大山那边拉来乌金般的煤砟子、黄澄澄的沙子和青得醉人的山石，然后，再把成垛的原木拉往山那边的煤矿。有时想必是总要多拉几节车皮的缘故，在爬往返程的缓坡时，小火车常常在剧烈的咳喘声中，又被成串的车皮拖着滑下坡去。每逢这时，总要惹来一阵焦急的呐喊和忙碌。由于小铁道的枕木掺和着不少歪七扭八的树棵子，铁轨宽窄不一，小火车掉道的事情屡见不鲜，憋不住肚子走哪儿拉哪儿的时候更是家常便饭。小火车一高兴，从老掉牙的炉膛里拉出的炉渣尽是黑黑的、没有消化的煤核儿。这些煤核儿给小火车带来了极好的人缘儿和念想儿，带来让我由衷羡慕过的那些粗拉而又富有心计的人们。

老西子就是曾留给我记忆最深的一个人。他是玻璃厂里切玻璃的高手，所以不管衣着多么不修边幅，胸前总要学者般地插着一把镶有进口钻石的玻璃刀。他能在近两米长的玻璃镜片上，连玩带闹地切下手指细的玻璃条子，并连支卷烟的酬谢都不要。可在小铁道上扒堆儿却显得缺少风度。有多少次怕别人抢了小火车拉出的炉渣，便迫不及待地放出马尿救急，然后一股脑儿把煤核儿搂进自家的小麻袋。老西子很勤劳，每天清早头一个走上小铁道的总是他。到了家家门户有了响动时，老西子早已扛着满满当当一麻袋生计满载而归了。

那年月，吃不饱穿不暖的人家很多。靠小铁道那边的煤场烧火的人家多得能用鞭子赶。老朱爷子在扫煤人中算是大户了，老两口扫来的煤砟子、煤面子小山似的堆满了院子，用泥巴封盖得像座城堡，直到老朱爷子死那财富也没见掉辈儿。与受众邻居顶礼膜拜的老朱爷子相比，老王爷子头一遭上小铁道就出师未捷，这在当年算是最丢面子的事了。在老王爷子带着孙子别着面口袋走上小铁道之前，王家因儿子在厂里当干部，平日里在左邻右舍间颇有“羊群里走骆驼”的味道。王家的家政足以让周邻们崇慕不已了，天知道王家爷孙俩是怎么鬼使神差也上了小铁道呢？而最让人觉得不公的是，人家长年累月吃小铁道煤场的都没有出过岔头，王家爷孙一上场就被不长眼的治安员没收了面口袋，真成了人家骑驴他家拔橛了。弄得正正经经的老王爷子多日没出门。

小铁道那边的沙滩、河野、森林，以及老西子们在小铁道上的占有和索取，引来孩子们的迷醉、效法是很自然的事情。在家里大人们的默许下，每逢不上学或放学后的时间里，我也开始常去小铁道那边拾煤矸子捡煤核儿。记得我当时有过一个最大的愿望，就是让我家也要有老朱爷子家那样一堆煤。所以当我把一篮篮煤矸子、煤核儿歪歪斜斜拖进家门时，就甭提心里有多么惬意了。若赶上街坊长辈人当着母亲面夸一句“真懂事”，还免不了装出一副逞能的样子，生怕大人们小瞧了自己。而实际上我拼着吃奶劲儿倒弄来的那点东西，充其量能为父母省下几个烧的花销而已，家里的院子始终也没能堆起我梦寐以求的乌金山。

过早劳作的少年本是艰辛的，可我却在小铁道上得到了别人难有的欢乐与满足。在我家房后那几里长的小铁道上，似乎有我拾不尽的黑煤矸子；小铁道边的树林里，有我弹弓打不没的鸟雀儿；河野沙滩有家里鹅鸭吃不够的鱼、虫儿；还有在小铁道坡下废品站里，我不止一次地把攒起的废铁疙瘩、碎玻璃换成几张毛票，沿着小铁道去街里买回自己喜欢的小人书和画片。但在小铁道上最得意的日子，还是我后来也能像老西子们那样，扒上拐向岔道的空煤车，抢在小火车掉头开往北山之前，拖起满满当当的小麻袋蹦下车来。最伤心的一次，是把攒下的买小人书的钱丢在了小铁道上。为了找回一个许久的渴望，徒然的脚步在小铁道上走出了大半日呜咽的秋风……

小火车给我们的少年岁月带来勇敢，带来了欢乐和天赐，也带来过忧郁。虽然我们无法相诉衷情，朝夕相逢久了，牵念之情在我心中油然而生。不论是夜晚躺在家里用煤砟子烧热的炕上，还是每天坐在学校的教室里，我都能从远处传来的小火车的足音里，想得出它驶过的扬旗、道岔，乃至那儿根用歪脖树削成的枕木。一次，从颤抖的天空中传来了小火车凄厉的尖叫声，随后一串激烈异常的奔跑声简直要捣碎了人的耳鼓。我随惊恐万状的人们跑上小铁道，只见小火车像一匹受到了莫大委屈的野马，甩下连喊带叫的人们，拖着半截火舌大声哭啼着冲向远方，直到消失在小铁道的尽头。不知过了多少日子，当那失过火的火车头重又雄赳赳出现在小铁道上时，人们不由喜形于色，颇像见到了一个久别的老哥们儿。而后来的一次事故，小火车在我的眼里突然失去了往日的神采，变得异样的陌生和冷酷起来。那是一天的后半晌，坐在课堂的我又被小火车声嘶力竭的呜呜叫声所吸引、所打动了。人坐在教室里，心却早已飞到了远处的小铁道上。好容易熬到了放学，未进家门就听说一个扫煤的孩子被小火车轧死了。我的心一下子呛到嗓子眼儿，惊骇和恐惧电流似的袭遍了周身。

母亲不再让我去小铁道上拾煤扫煤了。一天下午放学后，我又躲避着母亲拎着一个旧水桶悄然走出了家门。在小铁道上，我的桶里刚刚有了些许的收获时，母亲突然出现在我的面前，看到母亲哀怨责怪的目光，我一时手足无措，不知该向母亲说点什么好。母亲却没有过多地怪罪儿子，只是说家里有点烧的就够了，再说怎么也会省出几个煤钱的，叮嘱我以后千万不要再来小铁道了。母亲边说边拎过铁桶催促我回家。我执拗着不想走，可一抬头看到了母亲有些湿润的眼睛，逞强的意念刹那间了无踪影了。与母亲回家的路上，落日的余晖把小铁道变成了两条亮晶晶的银线，抛向了遥远的远方。小铁道上留下了母亲与我长长的身影，也留下了我对母亲最深切的记忆。那是重病缠身的母亲，第一次也是最后一次和儿子一起去小铁道。没隔几年，病魔就过早地夺去了母亲 45 岁的生命。

十多年后，当我们开始告别贫困，生活一天天宽裕起来，终于有这么一天，那两道窄窄的小铁道仿佛一夜之间就消失了。不辞而别的小火车拖着一个沉重的时代永远开走了，匆忙间把一份沉重中有着许多欢乐的记忆，留给了在小铁道上长大的人们。

岁月悠悠，故土情深。在一次次怀念与思念的梦幻与遐想中，我仿佛看到了披满昔日辉煌的小火车，隔着历史的门槛，向今天的故里拉响欢乐无比的汽笛，从那烟管的喇叭口里喷吐出一缕缕绚丽多彩的云霞。

耀华村纪事

耀华村在秦皇岛是老资格的部落了，提起它，人们自然会想到耀华玻璃厂。

昔日的耀华村属于田园诗般的大自然风光。初夏时节，天空飘过一阵和风细雨，把耀华村一幢幢整齐的制式青砖房舍染成了海军呢似的深蓝色。半米高的鹅卵石墙基，黄嫩醉人。徐徐清风拂来，一抹橘红色的晚霞，便被婆娑的树影摇曳成了绚烂的彩虹。槐树花的芳心也悄悄走进家家敞开的窗户里，从海边码头飘散而来的巨轮起航的长鸣，颤悠悠地进入了人们的梦乡。

当耀华村紧北边人工筑起的铁路路基上响起小火车故意捣乱似的车轮声，人们便又迎来了一个明媚的早晨。翘首东望，太阳不再是从海里腾跃出来的，而是顺着耀华厂几根四五十米高的大烟囱爬上来的。排列整齐、炊烟袅袅的青砖房舍，像一艘艘列阵的船，待命起航。站在路基上向南眺望，大海变成了一块轻轻飘拂的巨大绫绸，摄人心魄。走下路基，穿过三五里路的林中小径，便见原野上宽阔明亮的汤河远远打了个弯，一头扎向大海深处。海远天低，一抹缥缈的青黛衔合了苍穹碧野。站在那座没有栏杆的水门洞铁桥上，童年的小伙伴们手牵着手，倾听着森林那边列车急促的奔跑声。那列车常常带着剧烈的震颤和极富重量的呼吸，使人尚未在猛烈的轰鸣声中定过神儿来，便已经拖着一条银白色的烟鬃，野马似的从林带中奔腾而出，眨眼便冲过了脚下的桥洞，让我的心呼地一下子也野了起来。

耀华村的大人们任凭自己的孩子去海边游泳，去树林打鸟，就是不愿让孩子去铁道玩耍。颇有奇趣的是，在那人工修筑的铁路路基上竟铺着三根铁轨，两条粗壮的铁轨是走大火车的，一根细窄的借一条粗的是跑小火车的。于是，有时就有了小火车跟着大火车后面的情景。这是最使我们着魔和流连忘返的。当年站在水门洞铁桥侧畔，不只能俯瞰老京山线铁路，整个秦皇岛都可尽收眼底。铁桥正东的远方，就是市区最热闹的老天桥，桥上豆似的人影时聚时散，偶尔驰过桥下的列车喷出雪白的烟团，神奇地把天桥拦腰遮没一截，情景荡人心旌。

二三十年的星移斗转，当今耀华村的孩子们再难看到这一切富有神秘色彩的情景了。那雨后田园般的氤氲迷人的景色，随着属于耀华村西的树林一起消失了。有几次，当我领着孩子去散步，走在留有我童年足迹的铁路路基上，展现在眼前的是一幅熟悉而又陌生的图画。新建的楼群、扩建的货场和大道小路奔跑的车辆，使耀华村变成了一片灰蒙蒙苦涩的洼地。依旧排列的房舍，犹如一条条搁浅的船舶，斑斑驳驳，又仿佛一册册用砖石写成的书籍，令人无法识读。只是当我蓦地发现脚下的铁道少了一根铁轨时，我便讲起了孩子从未想到也无法再看到的情景，在一条铁路上，前面走着大火车，后面走着小火车。

九号回忆

张立军

我要说的九号不是日期，也不是门牌号，而是秦皇岛港的九号码头。至今我仍然不太了解港口的泊位是按什么排的顺序，总之九号码头算是秦皇岛港历史最为悠久的一个泊位。

24年前，我从冀东的一个小乡村来到了秦皇岛港的九号码头工作，成为一名装卸工。经过近一个月的岗前培训之后，我领到一顶安全帽，算是正式上岗了。

煤炭码头的装卸工，在当年的秦皇岛是最艰苦、最危险的岗位，具体职责是重载列车进入现场之后用小铁锤打开列车的门栓，在卸车机将满载煤炭的列车清卸之后，翻进车厢，先用铁锹把车厢四角和底部遗留的煤炭铲出车厢，然后再用大竹扫帚清扫一遍，再挨个关好门栓。如此往复，昼夜不停。

工作间隙，我们在候工室等待下一列煤车顶进。我们的候工室在铁道旁边，一排五间候工室分属不同的五个班组，顺铁道沿线排列。铁道外面是海,候工室后面是堆煤场。装卸工们都是粗人，很少有人用心维护候工环境，玻璃大多破碎，用码头上的传送带堵着窗户。坚硬的质地让人感觉室内的地面可能是水泥地，但煤尘太厚，看不出水泥应有的灰白。地面的煤尘之上，是装卸工们包早点用过的塑料袋和毛草纸。我初次进去的时候，第一感觉是这里从没有人打扫过。后来和老工人们聊天，证实我的感觉是正确的。

有一天上班去得早，上一个班次的人已经走了，本班次的人还没有到，码头上很安静，只有配电柜内的电流声枯燥地嗡嗡。我先用扫帚清扫了房间，把塑料袋和毛草纸扫成一堆，塞进了门边的火炉，点燃。然后用大铁锹铲起地上厚厚的煤尘，和点水填进了火炉，最后用清水冲洗了地面。冲洗过后我才惊讶地发现，那地面不是普通的水泥地，而是镶过铜条的水磨石地。

从小就想看万吨巨轮。我还记得小学一年级的时候，老师问大家轮船是什么做的，我举手回答说是“洋灰”，引起了全班的哄笑。我觉得很冤枉，因为我更早的记忆是在海边远远地看轮船，那银灰色的船体只能让我联想到洋灰的颜色。没想到，多年之后我可以近距离地看万吨巨轮，竟然是为它装煤。

不过，第一次看是新奇，而我以后的岁月中，每天都要看到一艘艘不同的万吨巨轮，在震耳欲聋的机器轰鸣中为它们填饱万吨的“肚子”，那是要我付出了每个班次近百次翻越车厢、数万次挥动铁锹的体能的啊。所以，当偶尔遇到没有轮船靠泊时，真有一种如遇大赦的轻松和安逸之感。

队里要求新工人有半年的试用期，试用期内，新工人的工资待遇是和老工人不一样的，干的是一样的活儿，按一个整人使用，但拿的却是试用期工资，那部分不菲的剩余价值归班组支配。所以，班组一般都要让新人干满试用期的。

尽管我当年不到20岁，但农村人的吃苦耐劳显出了优势，翻越车厢，清扫车底，我自始至终都没有落后过老工人们。父母从小的教育也让我尝到了甜头，我总是第一个到工作现场，生好炉火，烧好开水，待师傅们到单位时，室内早已温暖如春，沏好的茶叶泛着芳香了。所以，我的班组师傅们一致决定对我开先例，两个多月就提请队里给我和老工人们一样的计件待遇了。

人生第一次喝大酒就是和这群师傅们，那个白班，给我计件工资的消息正式传达，其他班组的人都感觉不可思议，因为那意味着班组少了几千元的收入。当晚下班，我做东，在开滦路的一个小饭馆请全班组的师傅们喝酒，大家边喝边聊。师傅聊的都是码头的老掌故，我听不懂，反正就是高兴，只管酒到杯干，忘了什么时候我没了记忆，醒的时候，已经躺在单身宿舍的床上了。

后来的许多机缘，让我离开了九号码头，辗转在港内各个单位，但九号码头有我青春的记忆，常常出现在我梦中。如今听说，在开港115年之际，它就要“关停”了，抚今追昔，感慨万千。

与海为邻

海　津

一

日出之前，大海仿佛深藏着某种不安，潮水一波一波地涌到脚下，又适可而止地向后退去，之后涌起下一波潮水。我只是偶尔会赶在日出之前来到海边，与早就守候在这里的人们一起，像经历一场盛典，以难得简单而纯净的心灵，迎迓光辉灿烂的太阳在海面上喷薄而出。海平面在日出之前就已经涨得通红了，此刻的大海，更像一个伟大的母体，她孕育了日出这神圣而辉煌的时刻。

我们可能永远也读不懂大海，可是，此刻你仿若平静的心中，也忽然充满了某种期待。日出只是瞬间的事情，太阳以一种无法遏制的力量，在海平线上渐渐隆起，然后顷刻间被弹出海面。于是，万道霞光铺满了大海与天空。此刻，你的心中忽地涌入无尽的温暖，海面上蒸腾着的水汽，也被阳光染成了迷离的橙色。这时候，我的眼前，忽然有几个只穿泳裤的男人，迎着初冬的寒冷，奔跑着，冲向大海。他们先是小心地蹚进水里，轻轻往身上撩一点水，之后，便义无反顾地喊叫着扑向大海。他们在潮水与雾气中跳跃着，喊叫着，脸上洋溢着无限的快乐与激情，太阳在他们的身上，洒下梦幻一样的光芒。

这一刻，我相信他们是回到了生命的原初状态，简洁，透明，他们或许把自己也变成了海浪，变成了水汽，变成了阳光。

而这一刻，我只是站在岸上。

二

人类的历史，常常在物证几乎散佚殆尽的时刻，才被零零碎碎地收集到博物馆里。但是，也幸亏有这些博物馆的存在，我们才能将岁月的遗存，在内心还原出已然遥远了的某些时光。我所居住的这座城市，有些事情也被放在博物馆里了，比如港口。虽然当下的港口已然壮大了许多，但最初的港口也是这座城市的发端，有了港口，这里才有了城市的端倪，然后才逐渐清晰起来，人们也渐渐从四面八方聚拢而来。这里原本只是一个小渔村，对于一座城市来说，一个小渔村的繁育能力远远不够。

我曾经见过一位小渔村时代的渔民，最早的时候他跟着父亲摇船出海，后来换了机动船，之后又承包了几条机动船，他的人生几乎都是在海上的，我相信他的皮肤肯定是腥咸的，连他的呼吸也会带有海风的气息。但是，多年以后，及至我再见到他的时候，他已经是古稀之年了，他的身份还是一个渔民，而他身边的渔村却忽然改头换面，融入了这座让他几乎摸不着门路的城市。他老了，老得只记着他曾经的渔船和出海的岁月，而他曾经努力生育并抚养成人的子女们，也都渐渐分散在这座城市之中。他身边的城市，更像一个巨大的旋涡，让他目眩。

当我在那个雾气弥漫的下午，走进坐落在南山的港口博物馆的时候，我的脚下，是曾经铺在这个城市街道上的米色缸砖。那条一百年前就有的街道，现在已经没有缸砖了，它早已经变成了水泥或者柏油的路面。铺在这座博物馆地面上的缸砖，是我们唯一能见到的幸存者。我不知道那整条街道上的缸砖都去了哪里，但是我坚信，它们都还在这个城市的某个角落里存在着。因为在我的脚下，这些一百年前的缸砖，还依然完好如初，它们厚重得几乎超出了你的想象，并且每块砖面上都刻有三个大写的英文字母“KMA”，这是它们的身份标志。

用这种缸砖铺就的街道当年就叫缸砖路，那曾经是一条很豪华的路，是这座港口诞生之后，从码头通向城市的路。我相信这条路上曾经走过形形色色的人，有富人，也有穷人，有西装革履的洋人，也有脑后垂挂着小辫子的大清子民。那是一个王朝摇摇欲坠的时刻，于是，便有各种雄心与野心疯长，将一片千年田园葳蕤变成了一座狼烟四起的荒野。传说中始皇帝曾经面海而拜的这条弧形海岸线上，便在内忧外患中诞生了这座连通外面世界的港口。港口就像城市一样，是个很现代的名字。

这座港口博物馆，曾经是港口高级员司俱乐部，所以它的建筑风格是欧式的，红砖外墙，间或装饰有水泥甩毛工艺，大厅里有壁炉，它已经成为名存实亡的装饰，但外墙的红砖依旧完好如初，虽经百年时光，却无一丝被风化而破损的痕迹。院子里有一组水泥桌椅，是意大利佛罗伦萨市一位议员来此考察港口时留下的，椅子上刻有“ERECTED BY FLORENCE LADY WALSHAM JUNE.1915”的英文，即“1915 年 6 月，意大利佛罗伦萨沃森姆女士建立留念”。一位欧洲议员漂洋过海，来到遥远、陌生而神秘的东方，肯定也是一件很隆重的事情。这里，或许曾经不可一世，或许曾经歌舞升平，但它确实带来了许多属于另一个世界的东西，比如音乐、电影、香水、高跟鞋，等等。

与此相对应的，是博物馆院落里的几组统称“锅伙”的人物雕塑，这些当年的码头工人，大多是河南、山东以及河北闯关东途中滞留于此的劳工。“锅伙”就是在一个锅里搭伙的意思，也是这些码头装卸工人最基本的生存单位，他们吃的是一个锅里的饭食，干的是一个码头的活计。这些外乡人在此承受着繁重的体力劳动，过着简单而艰苦的生活。但是我相信，每一个人有自己人生烦恼的同时，也会有各自的生命期待与幸福。就像这些“锅伙”们，在繁重的体力劳作之余，也会有自己的人生乐趣。这里就有几个人在玩纸牌的一组雕塑，那是一种完全东方式的娱乐。他们当年因为有一座港口而流落于此，生存于此。之后，也在此扎下根来，娶妻生子，变成了这座城市的一分子。

在港口博物馆附近的一个小区里，有一位老先生就是当年这些“锅伙”中的一员，他从山东老家出来，本来是去闯关东，但是有老乡在这里的码头上干活，于是就一起留下了，后来直到在港口退休，至今身体还一直很结实，也一直是参与社区活动的活跃分子。

在南山一带，除了这座高档娱乐场所外，港口当年的其他建筑，也大部分保存完好。距此不远，就有港口的办公用房、高级员工生活用房，包括中方经理与外方经理基本一致的私人住房，它们或坐落在海边，居高望远，或隐匿在山脚绿荫中，安详静谧。这些老房子有些至今还是办公、生活场所，偶有个别闲置。

也有的透着几分神秘，被保安很谨慎地看守着，常人无法靠近，我只能远远地用长焦镜头将它拉近，拍下几张亦真亦幻、虚虚实实的照片。

三

我一直很好奇停泊在锚地上的那些大船，它们离岸很远，站在岸上，只能看到它们朦胧的身影。它们停泊在那里耐心等待着进港的时间，它们那庞大的身体只有进入港口才能停靠到岸上。每天都有一些大船停泊在那里，我不知道它们在那里停了多久，它们或许在大海上经历了漫长的旅程，当它看到陆地的那一刻，船上的人该是怎样的兴奋？我想每一个在海上漂泊的人，心中都在期待登岸的那一刻。那些大船等待进入港口，或许就像等待一个拥抱、一个亲吻。那些经历过大风大浪的船，该有一些怎样惊心动魄的经历，该有一副怎样沧桑冷峻的面孔？远处那些我永远都无法登上的大船，总会给人海盗一样神秘的联想。它们离我很远，我只能在海边遥望它们，心中充满向往。

离我最近的只有这些渔船，它们三三两两地停泊在海边，用一根长长的缆绳抛锚在沙滩上，偶尔有三两个渔民站在浅水里，在这些船上搬弄一些物品，或者将船缓缓推向深水区，然后驶向大海。但这里还是经常停泊着一些大大小小的木船，它们在潮水的涌荡下，起起伏伏，每条船上都有一根不太高的桅杆，我相信那已经不再是真正能扬帆的桅杆了，因为它们都装备了机械动力，桅杆仅仅是一种象征，或者改作了他用。常有海鸥在船上盘旋或栖落，这些船在晨光或者夕晖中是很不相同的，日出时刻，大海被阳光染成橙黄色，这些渔船就是倒映在水面上的逆光剪影，它们仿佛还沉浸在睡梦里，大海只是它们的摇篮，悠悠地摇着漫长的岁月。而夕晖中，阳光在侧面映照在这些船上，海水中的船身格外明亮，它们常常被漆成暗红色或者蓝色，此刻的大海，白色的浪花和蓝色的海水也格外清晰明澈。我常沉迷于这油画一般色彩分明的画面里。更有海鸥低低掠过海面，或者在船边盘桓。

我觉得这些海鸥是世间最快乐的生命，它们只是在大海上无忧无虑地飞翔。我也常常看到它们蜂拥着，不懈地追逐一波波的海浪，我不知道它们仅仅是在戏浪，还是在追逐浪花里的食物。我们或许永远也无法知道它们在浪花里看到了什么，或者在追逐什么。人的视角无法理解所有的生命，我们常常一厢情愿地去揣度它们。这让我想起，据说某些国家的法律规定不允许在弧形的鱼缸里养鱼，理由是鱼在弧形的鱼缸里所看到的会是一个变形的世界。但是我们从来不知道我们自己的世界，会不会也是一个弧形的鱼缸，我们所看到的世界，一定是真实的吗？

一只误入室内的鸟，总是惊慌失措地一次次撞在窗户上，它或许只看到了外面的世界，却不知道眼前还有一面玻璃。或者，它明知道有一面玻璃，但是仍然在试图冲破它而逃生。然而，谁知道我们的面前，是否也时时有一面无形的玻璃存在呢？

四

我身边这座海滨城市，曾经是一座闻名于世的玻璃城，玻璃是它最大的一张名片。在这里曾诞生过国内生产规模最大、技术最先进的玻璃生产企业，但那已经是一场旧梦了。曾经生产玻璃的厂房，现在也变成了一座玻璃博物馆。当我面对这座完好的红砖老房子以及不远处同样用红砖砌就的水塔、水泵房的时候，还依然能够感受到它当年的宏大气势，虽然它拥有一个颇具民族情怀的名字：耀华，但它身上依旧留存着来自海外的洋气，因为它毕竟是完全依赖西方最先进的玻璃生产技术，并与海外合作的产物，所以这些当年的老厂房，颇有一些欧式的建筑风格。

我相信玻璃是带有某种神性的，传说中玻璃的诞生颇具偶然性，或许它更有上帝有意赠与人类的必然性。早在公元前3500年，底格里斯河与幼发拉底河流经的广阔平原，孕育了世界上最早的城市，随着城市而来的不仅有对神的崇拜，还有更加发达的经济与贸易。在美索不达米亚，曾经有一支长途跋涉的商队，夜幕降临，他们在沙地上点燃篝火取暖过夜，天明时分，他们在燃尽的火堆下面，意外发现有一些沙子经过篝火的高温后凝结在一起，变成了晶莹剔透的东西。于是，受此启发，人们烧制出最早的玻璃。但是，在最古老的玻璃诞生后的几千年间，玻璃制品价格昂贵，只能作为奢侈品。直到19世纪后期，随着建筑技术的巨大变化、电力工业的发展以及新兴交通工具的出现，才使玻璃成为一种新的工业材料而得到迅速发展。同时，玻璃生产技术也发生了革命性的进步。在生产工艺上，1908年，美国人发明了平拉法；1910年，比利时人发明了有槽垂直引上法，也称弗克法；1928年，美国匹兹堡玻璃公司发明了无槽垂直引上法；1959年，英国皮尔金顿玻璃公司发明了浮法生产工艺，并得到迅速推广。从而，使全世界的城市几乎完全被玻璃所覆盖，人们时刻生活在玻璃之中。

1914年，比利时建成采用弗克法生产玻璃的工厂后，把这项专利先后卖给了希腊、德国、日本、美国，玻璃制造业在西方风行一时。但是中国的玻璃工业几乎是一片空白，所需机器制造的玻璃板材完全依赖进口。一个偶然的机会，促成了中国民族资本家与比利时人的合作，1921 年 8 月，中、比确定联合在秦皇岛建立“耀华”玻璃公司，12 月，双方正式签订合同，厂名为“耀华机器制造玻璃股份有限公司”。中国现代玻璃工业就此起步，并在此独领风骚几十年，鼎盛时期从业人员上万，使这座城市因玻璃而闻名于世。

五

无论人世间有多少纷争，无论城市有着怎样快速的变化，但是大海不变，每当你静静地伫望着大海，你的心跳也会随着大海的波涛而律动，你的心情也会随着大海的辽阔而放逐。或许一切生命，都可以与大海气息相通。那个春天的午后，在海边，我曾经见到无数海鸥，它们在海边的浅水区静静地站立着，安静得仿若雕塑，它们就那么一动不动地站立着，水中的倒影清晰得如同另一只与它对称的鸟，它们白色的胸腹与米色的羽翼在阳光的映照下，亮得有些耀眼。而不远处的海面上，则是另一番情境，蔚蓝色的大海汹涌澎湃着一波又一波白色的浪花，也有许多不安于寂静的海鸥，则展开长长的羽翼，在海面上敏捷地追逐着翻卷的浪花，用翅膀在海面与天空画出各种优美的弧线。更远处的背景，则是城市与远山，那是我们作为生命依托的城市与远山。

城市以现代的方式包容了一切。无论曾经的海上渔民，还是山里农民，他们的子孙在这座城市里焕然一新，以城市的标识顷刻间否定了曾经的一切，仿佛只有城市，才让自己获得了新生，只有城市才肯定了生命的价值。然而在城市里，我们又时时被湮没，不知何时，我们忽然失去了生活中的从容与安静，失去了内心的坦然与淡定。

每个人终归是活在自己内心世界里的，你的内心快乐你便快乐，你的内心忧伤你便忧伤，你的内心狭隘你便狭隘，你的内心宽广你便宽广。生活在海边，我们真的应该常常到海边坐坐，一个人，以自己的内心面对大海，感受大海的律动与安宁。其实大海是有着各种不同面孔的，我曾在雾霾的天空下，看到海水也是无边的昏黄，就连潮水的涌荡都是沉闷的；我也看到蓝天白云下的大海，海水是湛蓝湛蓝的，每一朵浪花都纯净得没有一丝杂质；早霞中的大海，是温暖的橙色，那橙色中透着生机勃勃的亮丽；夕晖中的大海，则是暗红的，当红色渐渐褪尽，眼前则只剩了由远及近的涛声。

有一些日子，我们常常在夜晚沿着滨海大道暴走，当我们忙于行走的时候，便忽略了大海的存在。后来，大家把路线改到了海边的沙滩上，月光下的大海传来阵阵涛声，那涛声里仿佛带有某种神秘，月亮与大海是有着某种神秘联系的，月圆月缺，潮起潮落。还有，人也一样，不仅仅是女人，甚至我们每一个人，或许都与它们有着共同的生命周期。走在沙滩上，与大海相伴，我们的脚步，经常不得不慢下来，甚至忘记了行走的初衷，而转向月下的涛声。

六

在这座城市里，我认识一位专门画海的画家，他以传统笔墨画出了身边的大海，也画出了他心中的大海。我坚信，海肯定是藏在他心中的，他是在海边出生、海边长大的画家，在他的记忆里，有着太多与大海相关的画面。他的童年，就是踩着海浪与贝壳走过来的。

就我所知，以中国画的笔墨画海的画家寥寥无几，只有生长在大海边，每天与海为邻，才会让一个画家有专事画海的艺术冲动，才能以画花鸟、山水的笔墨终生画海。每每面对他的作品，虽然大多只是简单的墨色，但依然会让我感受到大海的辽阔与磅礴，大海的多姿与多彩，大海的潮起与汐落。这便是大海神奇的存在。

我曾经把一只皇冠螺寄送给一个远方的朋友，朋友说在海螺里听到了大海的涛声，那一刻，忽然莫名地流下了眼泪。我相信这是真的。每年夏天都有许多外地人来看海，大海边总是人头攒动，但这时候我几乎从不到海边去。

我更喜欢暑期之后退潮的海滩，海边忽然安静下来，寂静辽远，空旷无人。潮水在沙滩上留下的波纹，清晰而均匀地向远处漫延，仿佛无边无际，偶尔有一两个人走过，渺小得只像一颗沙粒。海滩上，不仅留有潮水漫溢的痕迹，我更相信有大海的涛声。我觉得，海滩上漫延的波纹，是大海书写的历史。我喜欢历史，它让我感受到时间的宽度与深度。

一个村庄的记忆

杨晓光

范家店是一个与秦皇岛火车站紧密关联的村庄。20 世纪 80 年代以前的老火车站位于新一街南端，即现在的秦皇岛南站。1984 年国庆节，位于范家店村北中段的秦皇岛火车站新站剪彩通车，正式投入使用。

我与范家店结缘于 1984 年 9 月，当时的新火车站（现新火车站前身）已经竣工，从范家店村北望，是车站以及车辆编组站段的一片灯火，村内则是泥泞的土路和低矮陈旧、散发着霉气的村民农舍。当时的迎宾路主路刚刚竣工，两边的辅路坑坑洼洼，更甭提绿篱美化、路灯照明了。当年大秦铁路尚未告竣通车，正处于从山西大同到秦皇岛之间用汽车拉运煤炭（汽运煤）阶段，大型载重车辆呼啸而过，本来就很糟糕的路面尘土飞扬。

我从秦皇岛市高级技工学校（现秦皇岛技师学院）毕业后，由于父母居住的平房（文革里一段二十七号）面积狭小，从学校宿舍搬出来的行李无处安放，我亦身无所寄。通过父亲的朋友介绍，我在范家店第七生产小队东侧厢房暂且安身。从徐姓房东的手里拿到出租房钥匙，我立即在老旧破败的厢房屋忙活着拉吊线，糊顶棚，粉刷墙壁，油漆门窗，把黢黑的老房子拾掇成新房一般亮堂。

技校毕业后，我分配到港务局新煤区（国家“六五”计划的煤一、二期工程）上班，每天下班后骑自行车几乎“巡游”大半个海港区，很晚才能赶回范家店“家里”，一路风尘仆仆，总是弄得灰头土脸。值暑热难当时节，从租屋北侧的压水井打水，凉凉快快地冲洗一番。一个人简简单单吃过晚饭，便到村北火车站体验一下村庄旁的城市风光。我以一个羁旅者的心态，张望着行色匆匆、南来北往的旅客。倦意袭来，意兴阑珊，便黯然踅回住处。租屋前面的正房已经坍塌，从车站回到租屋，望着黑黢黢的残垣断壁，有一种恍若隔世的感觉。

就是在这样的环境，我白天忙于工作，夜幕降临后安妥了身心，借着台灯柔和的光线，开始读书、写作。范家店以它古老驿站的胸怀，安顿了我的青春时代，为我提供了成就学业和奔赴事业的栖身之所。1987 年，我与爱人喜结良缘。爱人涂晓寂，是土生土长的范家店人，我们俩的姻缘，由父亲和岳父老哥俩一并促成。不是儿女亲家时，便胜似儿女亲家。岳父涂景田，时任范家店村党支部书记，在改革开放初期，为范家店的经济发展和村民生活的日益改善废寝忘食，殚精竭虑，立下汗马功劳。

范家店，明永乐二年（1404 年）建村，穿越 600 余年历史烟云。古驿道位于北大营北侧，大马坊河（一说为红娘子河）穿村而过。秦始皇东巡求仙，曹操登临碣石，唐太宗远征高句丽，明洪武军需粮饷转运卸粮口，李自成诛杀吴三桂之父吴襄，康熙、乾隆“奉天承运”祭拜列祖列宗，均经过或停驻于范家店这片土地。

伴随着改革开放的春风，范家店迎来生机勃勃、充满机遇的春天。村容村貌、村民生活都发生了翻天覆地的变化，集体经济和民营经济均得到快速发展，村内道路实现了硬化，村组街区干净整洁，有村民盖起了村里的第一所二层小楼……

1984 年，范家店即实行了村内退休养老制度，男劳力年满 60 周岁、女劳力年满 55 周岁退休吃劳保。1987 年，村民出劳力做工开始实行工资制，取消工分制，村民的收入形式开始发生根本性转变。进入 21 世纪，村民生活逐步实现初级小康水平。2000 年，结合小康村建设，村委会为村民新建了玉峰北里 11 栋标准 6+1 住宅楼房。2002 年元旦，396 户村民喜迁新居。2013 年 7 月，随着再次重建、扩建的秦皇岛新火车站投入使用，站前广场扩建工程竣工，范家店已成为美丽港城的新景观。

随着新型城镇建设步伐加快，城乡一体化进程快速推进。范家店村委会一班人敏锐地意识到抢救世代延续、一脉相传的村落文化遗存时不我待、刻不容缓。他们审时度势，合力担纲，成立《村志》编撰委员会，由徐庆东、徐庆长等本乡本土的文化名士走农户、访群众，在掌握大量第一手资料和素材的基础上，呕心沥血，编撰《范家店村志》。2012 年端午节，从秦皇岛市率先完成村改居的范家店居委会，我拿到这部《范家店村志》，沉甸甸压在手上的是厚重的历史，是一个村庄所承载的 600 余年沧桑变迁、岁月浮沉。这部村志拥有正规统一书号，面向全国公开出版发行，是秦皇岛市第二轮社会主义新方志的首部村志，开创了秦皇岛市村级志书的先河。我作为与范家店渊源深厚的“荣誉村民”，有理由为土生土长、才华横溢的编撰人员的心血结晶感到欣悦和自豪。

盛世修志，是古往今来社会发展的一个重要标志。志书作为历史传承、文化继承的重要载体，《范家店村志》的历史厚重感和浓郁的文化品质，将随着时间的推移愈加凸显。当范家店作为一个村庄的概念从现实中湮没，从地图上消失，所有生于斯长于斯的范家店人，以及种种缘分使然在此驻足、停留的人们，抑或经停秦皇岛火车站、来来往往的匆匆过客，都会从这部志书中，从这片热土上，温情眷顾600年来一个普通而又独特的中国村庄史，深情回眸心灵深处的亲情故乡。

与城市同在的情感

娄春生

在一个城市生活久了，总会让人对这座城市多一些情感的期待。我第一次把自己做的事情与一个城市联系起来，还是在 20 世纪 70 年代末的残冬时节。

当时，我作为返城下乡青年头一次走进工地。那时施工还没有像如今这样围挡作业，工地就在民族北路沿线地带。当年的民族路两侧几乎没有像样的建筑，雨雪过后道路便成为一片烂泥塘。我们要做的就是用锹镐挖出长长的壕沟，再用辊杠缆绳把巨大的水泥管道依次放入地下，然后通过烦琐枯燥吃力的工序，把一根根管道连接成城市供水管线。工作极其艰苦，尤其在肉食品厂地段施工时，有很多日子都是在泻满猪粪的泥坑里摸爬滚打，硬挺着把管道铺设过去。而这些对工地上的人们来说并不重要，重要的是，那些看似原始粗陋的工作，却容不得半点虚做手脚。否则，虚接了分毫管口，管道不管埋入地下有多深，一旦加压供水后便会有水流拱出地面。所以，工地上的人们在埋设下一根根沉重的管道的同时，还埋下了一种沉甸甸的赤诚。我就是怀着这样一种情感，开始面对我们的城市。

在后来多年的工地生涯中，我常常在高高的脚手架上、在刚刚封顶的屋宇上，眺望生于斯长于斯的城市。不知是当年的城市太缺少让人感动的表情和色彩，还是苦于我的情感难于表达，我们从未有过诗意的交流。大多的眺望，可能还是缘于那里有我熟悉的故里，有我耳熟能详的故事。那时，尽管城里人家已开始有了黑白电视机，但街头巷尾还游走着换大米的农贩，众多的居民家里依然垒有烧柴草的大锅灶和土火炕。清晨，还有淘粪的马车和粪夫走街串巷履行着职守。说起建筑，或是设计局限或是施工能力落后，市区最大的百货大楼的二层只是一圈回廊结构，多少年后才改扩建成名副其实的两层商场，但这并未影响其独尊闹市之首。在它并列的几多门扇前，早年还曾有过两个家庭主妇望而却步的情景。而那些几乎与城市同龄的老牌街号遇井街、雨来散、柴禾市、鱼市街云云，不乏让人遥想早年街市自然繁衍的情景，捉摸浑然天成的市井风情，但那只不过是城市之初有市无城远去的历史了。城市，在人类社会的进程中不断被刷新着理念，不断被赋予时代的主题。然而，我们的城市在曾有的岁月里，缺少鲜明的主题，缺少激情和动力。不知今天岛上的人们是否还记得，往返海滨的公交车起先是 3 路和 4 路两趟车，当时为了省事把两个字码不分瓣地写上了一个站牌，经过二十多年的奇妙加减法，成了现今的 34 路公交车。有关城市的记忆犹如亦真亦幻的繁星，总在岁月的头顶泛着谜一样的点点星光。而记忆中的城市似乎生来就是让人回眸与遥望的。

古往今来，那些在人类文明史上留下辉煌背影的城市，其杰出的表现大多源于多重的欲望，而生活在充满欲望的城市里更容易产生思想。缺少激情的城市总不免江山依旧，缺少思想的城市总在远离着感动。小城的情结，小城的岁月，小城的斑驳和暮气，曾让人随意站在街头巷尾都可以看到夕阳西下的氤氲景色，人们依然把去海边观日出作为这座城市最可炫耀的事情。整个城市都曾那样醉心于垒院墙、盖小房，直到把市区仅有的几条干道都建成了酷似马路市场的模样。人们虽然还一时说不清未来城市应有的定义，但还是觉得现代的城市不应该是这样的。大都市的道路建设、城市广场、大型商业街区的隆起还是天方夜谭，城市品位、生态系统、人居环境、城市的美誉度和竞争力等诸多概念，更不像今天这样让人津津乐道。

当新世纪的层层海浪开始涌现在我们大海深处的时候，鳞次栉比的吊塔、咆哮轰隆的挖掘机，开始激情飞扬地书写起当代城市建设的主题。激情与活力，时代与梦想，开发与拓展，成为最令人感动的城市表情。蹒跚百年的破败街区，随着那风雨沉沦岁月的消逝，成为我们城市最凝重的记忆。取而代之的是一片片日臻完善的社区，宽阔的休闲广场，新兴的商业街区，还有越来越便捷的通衢大道。随着奥体中心等大型文化体育设施相继投入使用，艺术大师和明星开始向我们的城市云集而来。人们构筑起城市文明的大厦，文明的城市提升人们的品位，城市和它所承载的价值的不断拓展，让人们有了更多的选择，对我们的城市建设有了更多的关注、更多的审视和挑剔，思考风格离我们还有多远。城市，这个人类社会高度发展的产物，在建设它的人们心中又有着怎样的情感呢？不久前，在刚刚扩建落成的汤河大桥上，我看见了一幅由大桥建设者书写的标语："修同心路，连接党心民心；建连心桥，跨越昨天明天。"我深知他们在表达一种内心的情感，他们所有的艰苦付出，就是为了让人们生活得更美好。

由于常年在建筑业工作的关系，一些来自工地的感受和情感，使我每每面对日新月异的城市建设，总会感念起那些在脚手架攀援的人们，感念那些披星戴月、风雨兼程的岁月。每每想到同在一座城市里，有许多的人们做着我们不愿做、不能做和做不了的艰辛事业，总对今天的生活怀有一种感激之情，对那些众多默默无闻的建设者们充满深深的敬意。当我知道我们的城市形成的沧桑历史时，我曾有过美好的眺望；当我看到一块块砖石经过一双双粗糙的大手，书写出我们城市恢弘凝重的乐章时，我有了一种与我们城市同在的情感。

第二辑

温暖家园

叶落秦皇岛

——致友人

奚学瑶

北雁南飞，鸣落了一片秋黄。苍穹更为富远，海水愈显蔚蓝。屈指算来，我们阔别已逾二十多年，人生不觉已进入了秋天。自己的心里感觉，依然还年轻。然而，每天晨起，看到散落的发丝，我似乎才意识到，生命之秋已经来临，人到秋季，是失落的年龄，也是人生收获的季节。春天播下的生命种子，历尽朝露午日，也经受风雨霜雪，不堪忍受的也就夭折了，活下来的或许都有收获。无须考察人生成就，生命本身便是最值得称道的东西。生命贵于自然，亲人与朋友的情谊，是和风流水，最自然不过，也是最不可欠缺的生命因素。

我在秦皇岛娶妻生子，安家立业，这个家已经搬了三次了。前年夏天一个非常的日子里，我们从“山”下搬到了“山”上——“山”即秦皇岛的南山，只是数十米高坡而已。儿子极不愿意，因“山下”被人们称作“大板楼”的住宅，是他居住得最长的所在，他在那里结识了一大批同龄的伙伴。我们却嫌“山下”杂乱，图“山上”安静，便不顾儿子的不满，还是搬了过来。尽管在这里安了家，儿子还不时嘟嘟囔囔，一有闲空，便飞车下山，去寻找他的伙伴去了。就在居住的事情上，两代人亦存在着审美代沟，至于其他分歧，可谓多不胜数。我们常为选择电视节目而吵架，自然，最终胜利的还是儿子。我们夫妻常去宅前海滨公园散步，总希望儿子与我们随身同行，以便向他进行知识灌输或伦理教育，但他决不愿与我们同往。同样，母亲也很少与我们一起散步，要么与五舅舅做伴，他走了，便一人踽踽独行。

我们的住宅质量不佳，是 20 世纪 70 年代建的老房子，且经过二包三包，最后包给了一个“邪邪糊”的公社建筑队，使得房屋四处不规整，直担心有一天会坍下来砸脑袋。但是，我们还是调换到了这里，图这里的安静，图这里有一片临海的绿地。这片绿地被称作东山公园。据传当年秦始皇巡幸到过这里，曾派了韩终和卢生等几批人马下海寻仙，求取长生不老之药。韩终一去不复返，不知去了何方——我的一个朋友推测，他可能去了韩国。卢生则编了个谶语回来，谓“亡秦者胡也”。于是，为了防胡，秦始皇便有大兴土木修筑长城之举。所谓的秦皇岛，原先便是东、南山约一平方公里的小岛，后来逐渐与陆地连成半岛。因此，也就是说，我们现在所住的地方，是本来意义上的秦皇岛，就是现在秦皇岛市的发祥地。明成化十三年（1447 年），有人在南山临海高地立了一座碑，上书“秦皇求仙入海处”。“文革”中被人推入海中，近年又有人把残碑捞了回来。于是，这便成了招引游客的工具。19 世纪末，英国资本家骗占了开平煤矿，也攫取了属于开平煤矿的专运煤炭的秦皇岛港。英国资本家善于管理，夺权伊始，便成立了植树队，弄来了许多洋槐籽，在秦皇岛沿海数十里，遍种槐树。槐树既可改善环境，亦可作煤井里的坑木，一举两得，这正是资本家的精明之处。秦皇岛这个岛因此也便变得绿林幽深，气象森严，杂草丛生，鸟兽出没，人们来此，如深入人迹罕至的森林，而有一种深不可测的森然的恐惧。20 世纪 60 年代之后，这里逐渐开始砍伐，苍黑的老槐树已寥寥可数，新栽了一批白杨，路边亦有一些僵矮的油松，一条水泥路从中斜插了进来，使得树林愈显得空旷。尽管如此，这里还是秦皇岛市区难得的一块绿地，而且它又濒临海滩，可以眺望东西两边码头的宏伟建筑。因此，当有亲友来访时，我常把他们领到这里，慷慨地以这里的景物招待他们，进行精神的会餐。

我们爱这块绿地，爱这片大海。倘有闲空，便不期然地踏进它的门槛，信马由缰地在这里漫游。尽管是随意，却总有一条习惯的轨迹。先是一条沙土小路，路旁杂草丛生，蟋蟀、蝼蛄和各类虫豸们发出各种错杂的叫鸣，以至汇聚成一阵阵小小的潮音——似乎在向人类宣告，它们亦有自成一统的世界。草类之中，亦有我认识的美人芳草，如有可以通经止血的益母草，有明目舒肝的枸杞子之类。小径两侧，长着高大的洋槐，袅袅娜娜，像非洲的舞女，而挺拔的白杨，颇有点儿盎格鲁 - 撒克逊男子的气概。簇拥在路旁的除了零零落落的油松之外，更多的则是幼小的洋槐丛，使小路处于草木的挤压之中，人处其中，便有在荒野中披荆斩棘之感。每到傍晚，一人穿行，心里不免忐忑，真担心有个黑旋风在此剪径。虽然这段小径甚短，但每当妻子与我一起出行，总要拽着我从另一条水泥路绕过去，不愿去冒这个险。

过了这一段路，便是最有意味的地方了。这片山冈，背靠森然的林子，面向浩渺的大海，长着数十棵幼松和一片幼槐，还有自然生长的各种灌木和野草。人们信步徜徉，踏出了数条虬曲的小径，把绿地分割成许多条块，错落地分布在山冈上。山冈下便是茫然的大海，右侧竖着一座白色的灯塔，左面一箭之遥就是海滩浴场。公园的海岸有数百米，唯有这一段最叫人喜爱，因为这里疏朗开阔，草木和小径最有野味。每次出门归来，丢下行囊，往往迫不及待地先上这里报个到，这里的景物，令人感到舒心，天风海浪，可以一洗旅途的劳顿。

人生在世，家事、国事、天下事不时使人感到烦乱。身居闹市，滚滚红尘扑面而来，此时有几顷绿地入眼，心境便觉安谧。看一看婆娑的绿叶，闻一闻宁馨的空气，听一听虫豸们如潮的叫鸣，有时或许能听到树干上啄木鸟发出弹弦似的啄木声。一只驼色的小鸟，从你身边树丛里“扑喇喇”地飞起来。尤其是走近海边，海潮声声声入耳。这潮声是天地浩然之气，亦是最和谐的天籁之音。此时，人的心中不但生发豪壮之情，更被一种美的情韵所陶醉。来到海边，登高一望，海天一色，万顷碧波，此时，心中有什么烦恼不被消融呢？傅雷先生在“家书”中说：“过度的室内生活与书斋生活恰恰是造成现代知识分子神经紧张与病态的主要原因；而萧然意远，旷达恬静，不滞于物，不凝于心的境界，只有从自然界中获得。”信然！信然！

树林里，经常看到有人在这里屏神凝息，或打太极拳，或练气功，向天地吸取混元之气。偶尔，则能听到有人在树林中吹着横笛，曲子很熟悉，是《北京的金山上》和电影《上甘岭》插曲。

那人背对着我们,不知是何等模样的人。按心气而论,像是年轻人,但我却断定，他是我们的同龄人。歌声是最富有时代感的，这些歌曲正寄托了他对青春年华的回忆。果不其然，看清了，这个吹笛者与我们年龄相仿佛。

公园里有蝴蝶、蜻蜓、螳螂等活物，这是儿子最感兴趣的东西。他懂得了,母螳螂要吃掉公螳螂,秋天螳螂泄完了白色的浆液,也就完成了生命的历程。妻子毕竟是女性，尤其喜欢花。这里春夏的花开得少,没给人留下多少印象。倒是秋天,山珠子、野菊花、牵牛花长久地点缀着海岸坡地，使人振奋。牵牛花有紫、白、红多种，白色显得清纯，带色的骨朵上，则有几撇浓重的墨痕，好像国画家刚刚泼过墨，正在淋漓地向外融化着色彩。牵牛花最娇,一采下来，马上就软沓了。但是，它只要与土地相连，却最耐得秋风，数次寒流之后，依然绽着笑脸，不禁使人感叹这柔弱之态亦有刚强之气。

母亲务实,喜菜不喜花。她几乎每天都到公园、海边绕上一圈,总要随手拈一些可以入口的植物回来，或者是柔滑的紫菜，或者是鲜绿的枸杞叶子，尤其是苋菜——公园里边的废墟上成片生长,又多又鲜，足足吃了一两个月，弥补了北方春天和初夏蔬菜的不足。母亲来秦皇岛已有三次了，每次都得待上几年，前后加起来,足有十整年了。她大半辈子生活在南方，对北方的感情怎么也深不起来，一是感到北方蔬菜少，二是故旧少，不免有孤独之感。在“大板楼”结识了几个老太太，有几句话可唠，到了这里似显得更为孤独。公园和海边空气清新，但空气替代不了人情，人毕竟是群居的动物。只有五舅舅在这里的时候，公园、海边的清寥方才被融融的手足之情所温暖。

晚饭后，他们总要去那里散步，慢走细聊，一起品味人生，回顾家人、亲戚朋友和自身六七十年的生活道路，个人深藏在心中的苦闷，也慢慢地释放了出来。大概，也只有这种氛围，心才容易平静舒泰。每个人总有许多积郁，需要在适宜的环境里，向至爱亲朋倾吐。

舅舅喜欢这里，他说秦皇岛比上海好，这里空气干净，环境优美，水质也好。他在上海待够了，认为上海已不适宜于人类生活。马路上挤挤攘攘，空气中总带着各种异味，有时连窗户都不敢开。为呼吸一些新鲜空气，便坐车来到郊区。谁知到了郊区，空气中依然含有异味。于是，他便逃离上海到了新安江水库旁的淳安县，为人义务撰写志书，过着苦行僧式的生活。这回，他“逃”到了秦皇岛，而且还看中了这块地方。

母亲与舅舅的生活审美很不相同，这是由于知识结构和人生经历不同所致。母亲注重的是日常物质生活，舅舅偏重的是内心精神世界。母亲的生活圈子小，接触的事也少，而舅舅颇有一番经历，对人世间的感受要深得多。年轻时，他有热血沸腾的青春岁月，有着热烈的向往，但如今却深刻地感到了年轻时的天真。正如奋发有为的一代明主秦始皇，却在此处求取虚妄的长生不老之药，为后人留下笑谈。人类总要经过一段童年，干过一些幼稚的事情方能逐渐成熟。徘徊于海滨凝望迢迢流波，可以悟出人生多少滋味？

这里观海，似乎海潮朝涨朝落，浮云常长常消，宏观看来，岁岁如此。但是，仔细观察，年年月月，总有变化。海洋和天空是个万花筒，会编排出各种图案和色彩，阴晴雨雪，各具风采。最叫人难忘的是中秋之夜，皓月中天，霞彩斑斓，有多少片波浪，便有多少道波光，使得海面绣金叠彩，一片光华。到了此刻，人会发呆、发狂，便想喊叫，便想歌唱。我忘不了，去年中秋之日，附近卫生学校的几个十七八岁的女孩子。听口音，知道是你们广东姑娘，她们避开了自己的同学和老师，凑在一起，买了几个白薯，倚靠在山冈上，面向大海，边烤边说着家乡话。她们以这种简朴的方式，寄托自己的思乡之情，自我安慰娇嫩的心灵。看着她们，起初觉得好笑，慢慢地，心里油然升起一种滋味。“每逢佳节倍思亲”，这是中国人千百年来积淀下来的文化心理，当年我亦曾为之所苦。那时孑然一人，作为异乡异客，独居抚宁城关中学一隅。是晚，冷月当空，四周寂然，槐树的暗影散落在空旷的院子里，心头一时冰冷透骨，现在回忆起来，犹觉阵阵凉意。

有了恋人，成了家，中秋便不感到害怕。每每坐车归家，心里便涌动着返归的热浪。虽然我是江南人，不免时有莼鲈之思，但家在秦皇岛，逐渐适应，也滋长了惰性，便有一种乐不思蜀之感，事业、理想之类，似乎在家庭面前有时变得微不足道了。李贺说“少年心事当拿云”，而中年的意趣则变得沉稳和平实，家庭和亲友的位置占了一大块。倘无家庭和亲朋的温暖，人生便显得多么孤独，多么凄凉！当年，咱们结伴逛上海，游太湖，任意指点江山，挥斥万户侯。往事峥嵘，应该珍惜，但也知道，那时对人生的体验甚为肤浅，当初曾被自己斥之为燕雀之志的，现在却领悟到，那不过是一种人的本体回归。人需要享受人间烟火和人世温情，凡是人性完全者，概莫能外。事业与生活两难全，这是人生一个永远的矛盾。

秋色好，落叶无边，飘飘洒洒，铺上了小径。踏上铺满黄叶的路，脚底便觉松软，如踩祥云。幽密的树林，因叶落草枯而显得疏疏朗朗，心头也便有空廓之感。这里的夏天，最为忙乱，也最富生气，浴场上人头攒动，嬉笑畅怀，此时则水冷人消，夏日的繁华顿成隔世。海岸原有几所民宅，或因修建公园而搬迁，或被拆毁而仅留遗址，人去楼空，四周寂然，只有无主的黄猫和白猫卧在墙头，不时发出一两声号叫。海岸的茅草，或泛白色，或呈紫痕，在秋风中瑟瑟摇曳，东边一丛，西边一簇，但一切都安排得恰到好处，呈现了一种自然蛮荒之美。夏秋之异，形成一种强烈的时空反差，易使人的情感跌宕，飞瀑流泻。不记得《红楼梦》中哪一位说过："千里搭长棚，没有个不散的筵席"，席散人空，使贾宝玉为之黯然神伤。人生聚散颇多，而最大的落差则是当年同学风流，一朝竟然云散四方。那时，数千学子云集一园，相识相善者亦不下数百。当年盛况，也只能如流星闪过，在记忆的星空中留下光辉的印痕。同样，这个岛也有它辉煌的过去，遥想当年秦皇巡幸此处，千辆车辇，万队甲兵，前呼后拥，朝拜如仪，也是极一时之盛。江山如故，沧海依旧，秦皇如今安在？唐人张若虚的著名诗作《春江花月夜》之所以耐人吟诵，除了美妙曼永的形式之外，更在于道出了一种亘古存在的宇宙意识："江畔何人初见月，江月何年初照人？人生代代无穷已，江月年年只相似……"面对无限的宇宙，中国的知识分子总易产生苏东坡"寄蜉蝣于天地，渺沧海之一粟"的感慨。而西方的文化观则颇不相同，如从雪莱的嘴里则发出了另一种声音："同人生相比，帝国兴衰、王朝更迭何足挂齿？同人生相比，日月星辰的运转与归宿又算得了什么！伟大的是人，是能够领悟世界和时空的一个灵魂。”

在这个时候，尤其希望有一两个朋友，能在一起漫步，作无主题性的海阔天空般的交谈。然而，大千世界，众人俱为生计与事业奔走，无不忙忙碌碌，一时何处去寻找这样的闲人呢？苏东坡与张怀民在承天寺戴月夜谈，为后来的中国士人所向往，一种空明如水的世界，正是君子之交的精神的极致。饱尝忧患和贫穷的中国知识分子，最珍惜暑热之后的清凉，也最能理解谪官弃士的淡泊的心态。

在此之前，我返回母校，在未名湖边度过了一年多的好光景。回来后，脸上有了光泽，两颊洼坑也填平了。论饮食条件，北大远不如家里，每顿去食堂打一个菜，过着当年学生一样的清苦生活。然而，饭前在书海中遨游，或与同行们讨论切磋；饭后三五同窗，到未名湖畔随意漫步，在湖畔的长椅上小坐，凝视湖面粼粼的波光，遥望西山红日落霞，嘴里没有遮拦地谈天说地，这种心境极为宁静。因此，这一年多学生生涯，与其说是业务进修，更不如说是文化疗养。

而今，从未名湖到了渤海湾，两个天地，两种氛围。未名湖浸满了文化汁液，周围的楼馆亭塔，墓碑塑像，无不充满了文化内涵。湖畔行人，“谈笑有鸿儒，往来无白丁”，人处在其间，也便肃然而文雅，天长日久，就熏出了一个有文化的心灵。与未名湖相比，这里显得开放、浩茫，嶙峋的山崖与激荡的海浪，构成了一种壮阔的自然氛围。未名湖是个花室，此处犹如一处荒野，这里除了拟想中的秦始皇的足迹，剩下的便是20世纪初南非契约华工集散的遗址。傍晚，能见到一些山东、河南闯关东滞留在此地的老装卸工，他们退休后，亦喜到海边高岗上会聚，叙说着属于他们自己的话题。这里，难能找到几个可以谈文论艺的朋友，但是，这里却可以对着大海沉默，细细地品味宇宙和人生，长吟“天凉好个秋”。

好了，不说了，言简意长，不尽依依。你们不是说要到我这里来吗？儿子在旁插嘴说“百闻不如一见”，你们还是来亲眼看一看，体会体会，在海边细细地叙说我们自己，如何？

带上我们全家的问候！

忆 乡 园

薛顺平

汤河边上有个居民楼，居民楼前有个忆乡园，忆乡园里有个忆乡亭，忆乡亭上有一副写景的对联，上书“樱桃核桃葡萄泉柿桃，李子栗子篱笆竹杏梨”，园内风光可见一斑。鸟的叫声不时从忆乡亭里传出，几位上了年岁的老人，正在忆乡园里忙着农活。这是哪儿？都市里的村庄？

这是我居住的地方。

秦皇岛和平大街以北的汤河西岸，20 年前天远地偏，除了有个前进村，周边几乎没有城市迹象，自然不会有人喜欢来此定居。偏就巧了，当时我下海的四通公司，准备建一栋职工住宅楼，几个可选之地就包括前进村。公司有我们几个人力主临河而建，前进村那片菜地便最终被圈定下来。于是，由单位职工集资、单位自己建设的 6 层小楼，于 1995 年竣工投入使用。这是今日这个片区最早的一栋楼房。

单位自己建楼，注定不会吝惜水泥用量，但因现场管理缺失，楼前搅拌水泥的空地，事后一片狼藉，遗撒的水泥铺了厚厚一层。

正是这层厚厚的“水泥板”，给日渐增多的迁居于此的老人，带来了“天大”的麻烦。

在中国社会，每家最多往上捯三代，很多是农民。被晚辈兴致勃勃地接到城里来的父辈、祖辈，或者从农村长大、在城里工作的离退休老人，冷不丁一闲下来，没着没落，四顾茫然，人际疏远，内心孤苦。有时，他们很想老家。他们不想闲待着，不想被人伺候着，总想找点事做，证明自己还有用、身板还行，哪怕开垦块地、经管点蔬菜，也会成为一大乐趣。可在城市之中，哪里还有农村那种让老人们自主、自在的自由空间呢?

我们这栋独楼，最初就用铁栅栏围了起来，相对封闭。虽然一直没有物业，但我们始终自行管理。楼梯口这面还算规整，可一到前院，就没法看了。满眼除了齐腰深的荒草，就是秃疮似的水泥块。开发区派来一辆小钩机，却钩不动下面的“水泥板”，只把地面搂平之后，铺上了一层草坪。可到来年，没见成活多少。院里的几位老人看不下去了，带上工具和期盼，挑拣个地方，抠出土来，打上垄沟，撒上点菜籽，然后天天在那盯着侍弄，那个认真劲儿，绝不亚于当年在乡间种地。装修房子用过的油漆桶，被做成水桶，每天从汤河中打水，自己提来或者老两口抬来，再一瓢一瓢地浇菜。捡来树枝、木条或者买来竹竿，给黄瓜、豆角、西红柿的秧苗搭上架子。跑一回海阳大集，买来锹、镐、耪锄、长锄、耙子、镰刀，干农活的家伙什置办得一应俱全。老人们试图找回原有的熟悉和习惯，找回逝去的自我和自在。

妈妈也闲不住了，跟我们念叨想种点花生。那天，从楼上看到爸爸、妈妈正在前院刨地，一镐下去，火星四溅。这活儿老人自然干不动，我们赶紧下楼。没承想，我们同样不管用，胳膊和手震得又麻又痛，“水泥板”依然纹丝不动。只好从别处扒点土来，凑合着帮爸爸、妈妈打了两条垄。心疼父母却不知怎样帮助他们，这成了晚辈人的一块心病。

随着工作变动，这块心病我带到了卢龙。大概是2007年，我和同住一院的司机师傅顾宝士双休日回到家里，看到同院的老杨正在前院“苦干实干加巧干”。老杨已把自栽的杏树周边挖开，土被翻了上来，近一米厚的“水泥板”被砸成了碎块，堆放在一旁似座小山。他所用的工具，竟是开山用的八磅锤和长长的钢钎。我和顾师傅相视一笑：榜样有了！

借来八磅锤和钢钎，我们这就干上了。一人扶钎，一人抡锤，可着某一点往下做，深达一米才见土层，随后一点一点掏土，等“水泥板”悬空了，再用八磅锤将它击碎。就这样掏空、击碎，累并快乐着。那一段时间，刘大叔、老孙、刘二、刘振军等纷纷行动，我的全家、贺大伯的全家、顾师傅的全家，不分老幼一齐上阵，没种地的人家也赶来帮忙，整个前院就像一个建筑工地，惹得过路人直纳闷：“这个院干啥呢？淘金呢？”我们把细碎的建筑垃圾挖坑深埋进去，对那些大块的垃圾，我和顾师傅雇来一辆卡车，一车一车清运走。然后，我夫人又请来她家的叔伯姐夫，用三马车一车一车拉来新土，平整了坑洼之处。终于，前院成了可供老人们种瓜栽菜的乐土。

这时候，我和“主持全院工作”的贺大伯商量，把前院绿化美化规划一下——栽几排果树，果树下各家种点蔬菜，春天赏花，夏秋吃菜、收果；燕大孙老师的车库在西头，那条“专线”给他留着，沿路顺便搭建一条爬葡萄、爬秧棵的绿色长廊；长廊两侧栽上月季花，插空儿再栽些瓜秧；打一个压水井，免得老人们大老远地去提水了……贺大伯完全赞同我的提议。

话都说出去了,就得想法兑现。兑现就得花钱,还得动用人脉。找来一位企业朋友援助,用钢筋、铁管焊成了60米长的拱形长廊。看到城市主干道两侧的人行道正在改造，马上找人拉来几车废弃的方砖，铺砌硬化了院内的长廊通道。北戴河集发的瓜、菜样数多品质好，托一个朋友的关系求来200棵秧苗。听说亲戚家的果园要被燕山大学征用建楼，赶忙给亲戚下命令：快把樱桃、杏树、核桃、栗树给我拉来十几棵。月季花栽上了，压水井打上了，铁栅栏刷新了，露天的乒乓球台子安上了……而最让我上心的，还是如何留下一些“卢龙记忆”。指不定哪天就从卢龙回来，柳河北山的柿子、鲍子沟的葡萄、段家沟的李子、刘田各庄的久保桃，如果这些卢龙特产能垂怜于我，让我时常能见到、听到、闻到、品到，即便哪天离开卢龙了也能时时回想、追忆，那将是一生中永恒的慰藉。果真，实在的卢龙乡亲满足了我的心愿，不仅没收我钱，还给我挖来了一棵棵成树。

我和邻居们商议,拉来的这些果树、蔬菜,只要按着统一规划,哪户人家都可以栽种，谁栽种、谁打理、谁受益，小园里的各种收获，全院住户均可分享。大家普遍认同，更乐于参与其中，连后来买房租房的人家，也融入了这种融洽的氛围。边玩边干，边干边完善，我们前后用了3年时间，把前院的面貌彻底改观。四排果树整齐排列，有柿子、核桃、樱桃、栗子、李子、山楂、苹果、杏、桃、梨、枣，绿色长廊的葡萄也多达六七个品种，还有先前老杨栽的香椿、老孙栽的竹子，再加上各家栽的草本、木本花卉，我们的前院真成了一个像模像样的花园、果园。

时常可见前楼、后楼的老人，带着外孙、孙女来院里采摘葡萄、樱桃；经常看到院里人把丝瓜、倭瓜递出栅栏外，送“厚礼”联络情感；几乎每天都有陌生人溜达到我们的小园来，不为别的，只想走走看看。

给小园起个名字吧！在前院的入口，我让内弟制作了三个红字——忆乡园，悬挂于拱形长廊的东端。遛弯经过这里的人们，总喜欢停下来，对忆乡园的前世今生评说一番。有人似乎受到启发，感慨地说：小区的房前屋后，只要政府做个规划，让居民自己种点地、栽点花，尤其是留点地方给老人们玩，同样能绿化美化，还能反映出城市管理的人性化。

压水井刚打成的时候，我和顾师傅买来竹竿，在上面搭了个葡萄架，免得老人们压水时挨晒。我还想安上个水泵，寻思着用电抽水浇地，能让老人们轻巧一点。但转念一想，又改变了主意。老人们连玩带锻炼，能活动筋骨、硬实身板，这才是我们的初衷。平日里，除了特别需用，我们晚辈一般不下楼，老人们在楼下一通忙活，我们趴在自家窗口鼓劲加油。反正谁也累不着，就让他们由着性子自己玩吧。院里有两位老人，一个患肝癌，一个患胃癌，都曾做了大手术，大家一直担心他们的身体。但他俩都是乐天派，偏不爱闷在屋里养病。一大早，准是他俩最先来到小园，压水浇菜，耪地除草。白天的大部分时光，他们也是在小园里度过，有时午饭还叫老伴从楼上系下来。小园里的这帮老人，边唠嗑边干活，打个哈哈凑个趣，每天都保持着好心情。几年过去了，这两位老人都已变得健康如初。患病较重的那位长者，起初拄着拐棍还在打晃，但一年过后，拐棍扔了，啥毛病都没了，干起活来赛过年轻小伙。他不仅把菜园打理得跟画儿一样，还成了修理压水井的技术大拿。他不光拾掇自己那块“自留地”，还兼顾“公共花草”的修剪和浇灌。院里院外只要有人来参观，他一定摘点黄瓜、拔点青菜让人家拿走，不拿他还跟人家急:“我这就是玩呢，快拿去吃！”

院里有几位老爷子、老太太喜好玩扑克、打麻将，却只能窝在前院一个三面不透风的车库里，盛夏时节闷热难耐。我想给老人们转移个地方——在绿色果木中间，再给老人们建一个红顶的凉亭。把设计草图往工人手里一交，就算开工了。凉亭落成之日，摆上了一张方桌，配上了四把椅子，安上了一台吊扇，完事大吉！落成这天我不用刻意记也能记住，因为这一天，北京奥运会举行盛大开幕式。这一天，顾师傅刚拍去手上的土，望着凉亭说声“行了”，立马就有一个电话打进来报喜：他的大外孙出生了！

我也给凉亭取了个名字，同样叫忆乡，还把小园风物串联起来，写了一副对联挂于亭前。忆乡园，忆乡亭，蕴含的都是岁月怀想和家乡情结。对我来说，除了出生地迁西县，还有第二故乡卢龙县；对老人们来说，则是对故土的永久思念。其实，养育我们成人的这些老人，就是家乡那一棵棵老树，只因为我们不容辩驳的孝心，才把他们连根拔起，生生地栽到了城里。与我们血脉相连的这些离开故土的“老树”，我们该如何让他们在难以适应的环境里扎根吐绿呢？

忆乡园的果木已然枝繁叶茂。我把家养的画眉、百灵、黄玉、相思、七彩十来只鸟统统移到楼下，挂到树枝上、凉亭中，只当给老人们做伴。小园里鸟语花香，老人们喜庆躬耕，好一派城市中的田园风光。只是我的那只画眉缺点成色，只喜欢和顾师傅养的八哥一唱一和。因为我从不遛鸟，我的画眉只会反复地说一句话，而且是带拐歪的唐山话——奏啥去？奏啥去？顾师傅的八哥也只会答非所问地反复应答一句，却是标准的昌黎口音——得得地！得得地！每每如此，忆乡园里总会传出老人们开心的笑声。

子夜馄饨

高红弟

在机关做文字匠，常常灯下爬格子。每至子夜，肚子便咕咕叫起来，人也难以坐稳了。此时就想搁笔去街市走走，寻点夜宵。可是一出门，见了那寂寞如我的大街，便又悻悻退回。月移斗转，人在梦中，哪有我的去处呢？于是就墨守君子之道，以忍为高了。又一夜，醒来的朋友告诉我，近日街头有个小摊，热馄饨，会卖到很晚。我听了，便蹬车前去寻访。

走一处，见前面不远有挑灯，有聚集，喧嚣阵阵，热浪蒸腾。路人蹬车而过，我则驻车探望。至近前，嘈杂中果闻有馄饨叫卖声了，人便欣欣然。

一条南北通街，群楼逶迤，华灯点点，斜交一脉小街，青屋参差，招幌纷繁，相交处有一方街口。这街口极宽阔，宛若广场，可接四方来客，又迎一面海风，倒是好地方。放眼望去，人们十处八处，成堆成团，有卖者吆喝，有食客逡巡，有清香飘溢，有烟火袅娜，俨然是闹市景观了。静夜之中取身此处，恍如隔世。

那卖馄饨的地摊，看极简便，只三大件。挑子居中，挑前一桌，还有挑后一人。那张小桌，三尺见方，可折叠。桌中央有一小碗，碗里一堆辣椒面。桌周围齐刷刷的一圈食客。有深夜忘归的少男少女，有油尘未落的下夜班工人，也有刚从海边观月而返的游客。人们联膝而坐，有吃有谈有笑，如赴家宴，如嚼山珍，那场面，那气氛，不由人灵苗不动。

小摊的老板，其实并不老，伙计多为毛头青年，迎来送往，燃柴烧汤，还忙中偷闲，抡勺敲锅，出声脆响，又接一声高唱："喝——馄饨。"颇悠然潇洒。那"喝"字拉得绵长，有起伏，似京戏拖腔。"馄饨"二字，则如迸发，敲得响亮，收得利落，刚刚入耳，便消失了，像是引诱，唤鱼儿上钩。果然有闻声而至者。

"师傅，来碗馄饨么？"小老板这样问。

"香么？"食客也问。

"说香不为香，吃香方是香。"

于是便坐下，吃上一碗。

招呼我的小老板煞是利落，围裙缠腰，白帽扣头，又一副白面皮，很细嫩，一看就知吃的是好水土。只见案条干净，纤尘不染，他动作麻利，忙而有序。听口音，我疑心他不是北方人，经询问，才知是淮南人，出来耍手艺，做买卖。小老板嘴巧，他说是"从事第三产业"。

小老板左手掌皮，那皮四四方方，薄如蝉翼，右手操纵馅，十指随意转动，一个不留神，便翻出一个馄饨，真好似少林功夫，令人眼花缭乱，赞叹不已。我好问，小老板好说。他说北有水饺，南有馄饨，各为一绝。他家乡吃馄饨风盛，每逢年节，都要做上一些。特别是每年"七月半"，家家都要吃上一天馄饨。那馄饨味多样全，做得桃红柳绿。我问这馄饨是否有饺子一样的来历，小老板答作不知。他只说这物件是祖祖辈辈做，世世代代吃。

小老板家中有妻儿，妻在家中种田育儿，他在外乡煮馄饨，捧着祖上传给的饭碗赚钱。他们那里人多地少，可过去讲的是“父母在，不远游”，但现在青皮后生不外出闯荡，则要遭乡里耻笑。小老板是四月插完稻子出来的，他念家之心拳拳，每月写信寄钱，问妻问儿，告慰家中；妻也思夫，每每来信谈儿顽皮，禾苗茁壮，也望夫平安无事。半年来他们一行人结伴北上，挑着担子几乎走了半个中国。他们走一处，卖一处，玩一处。游荡的生活艰辛，但很尽兴。他们游了黄河，观了泰山，辗转津门，又到了秦皇岛。

小老板说他们不再走了，入冬后就回转了。他说秦皇岛很美，有山有海有城。他在此第一次看到海，开了眼。他很俏皮，说游了秦皇岛，做鬼也风流。我们都笑了。

小老板待人极诚恳，馄饨馅大料硬。食客联袂而来，赞叹而去。那边馄饨在锅里翻滚，这边在碗里放上海米、香菜，再捞起馄饨，浇上汤，清香便扑鼻而入，在肺腑中串联，闹得不饿的人也饥肠辘辘了。待喝上两口汤，就更觉得五内滋润，无处不舒展，不禁叫声“好手艺”。小老板笑着对我说，饺子味在馅里，而馄饨则味在汤里，这叫做汤。汤不成，则馄饨不灵。我点点头，觉得此言极是。

喝完馄饨，我起身告辞，谁知步态竟有些踉跄。我诧异，难道是醉了么?

夜空晴朗，星星银光跳跃，月儿也摇着小船缓缓游荡。小风吹来，爽快极了。我也奇怪，来时一路，对此怎么就没有觉察呢?

山东里·幸福里

唐河滨

在一个地方住久了，就觉得那里风景也悦目，人烟也亲切。我在山东里住了将近一年，毗邻的小区还有一个叫幸福里，都是平庸却温暖的名字。

山东里和幸福里相连，都是开放式小区，四通八达。搬来山东里时，正值炎夏。正午时分，人声稍寂，却有不绝于耳的蝉声如潮水般流淌，此起彼伏。蝉小小的身子隐而不见，只有风摆柳叶，间或小鸟穿梭。躲在床上听蝉声，想象湖面上帆移云飘，心思驰骋，安静平和，真觉得身心俱在“幸福里”。

小区多草树。一片片新植的草坪青翠如毯，可惜无人修剪，任由它荒去。早在春季就有好事者将草皮翻开，寻找蝉的幼虫，据说煎炸后是一道美味，只是不知这样的美味他们何以下咽。然而毕竟还有“漏网之虫”，夏天来了，这里仍是蝉声如织，蝉在柳间。柳颇高大，枯枝新叶，遇烟雨，于窗前看风摇雨洒，也是一番趣味。

草坪间植有花木，楼房前也常有谁家用木棒、树枝围定的小园。细细寻去，这里竟是一片大花园。木本的有蔷薇、月季、木槿、法桐，草本的有紫茉莉、翠菊、大丽花、萱草、牵牛花、蜀葵。更有一些住户种了丝瓜、葫芦、黄瓜、豆角。从春到秋，这些花次第开放，美不胜收。即使是丝瓜和豆角，那些黄色、紫色、粉色的小花也是常常令人驻足赏看。

除非迫不得已，我是一个极少逛街的人。但有一样例外，就是每周必去书店。不走大街，只穿小巷，从小区里穿行不仅少了许多车流喧嚣，更可以缓步慢行，一边走路一边看花，甚至故意拐个弯，专门去看看前日还迟迟不肯展露羞容的花，近来可否添了新景。

有一藤蔷薇，攀着一棵泡桐，竟然把满树红花开上了三楼的窗口。有几丛紫茉莉，竟成了我每日晨昏必访的花客。紫茉莉只有夜间开花，红、黄、紫各种颜色都有，一株花开几种颜色，一朵花杂有浅紫艳黄也是常事，有幽幽的淡香，在晚风里悄悄绽放，安静美好的样子楚楚动人。

以前不曾这么关心花草，自从搬来这个小区，逐渐对花事关切起来。也曾拿个相机去拍紫茉莉。只可惜黄昏花朵初绽时，光线已很暗淡；早晨花朵将敛时，光线却还朦胧。大丽花鲜美娇丽，亭亭玉立。月季蔷薇花色繁多，芬芳喜人。牵牛花常常开满一面栅栏，每日清晨吹奏不倦的乐曲。蜀葵竟然还有绿色的花，比其他颜色的更娴雅端庄。即使是山野中的荆、苦菜，这里也可以看到，荆开紫花，苦菜有金银两色的花盏，野趣横生，让人身在都市，心怀乡野。

小区是生活的地方。冬天穿越小区的时候，常看见三五收废品的三轮车，车主人将车弃置一旁，聚在一起打扑克。在重重高楼间，在隐蔽的楼前空地，那随意的穿着、散漫的面孔，无不显出这个开放式小区的宽容和慵懒。老年人爱扎堆，春夏时节，总有一帮老人聚集起来下象棋、打扑克，举手投足，语声腔调，无不像些天真的小孩子。夏天炎炎，而柳荫下却是爽洁干净，常有几个女人，在柳荫下搓麻将。她们大抵是些悠闲人。我虽不近前，但可以趴在窗口望。有时候想，人都是些爱折腾的动物。闲来难受，不如几个人一同找个名目折腾一番，比如下棋、打扑克、搓麻将，赢了自然欣喜，输了肯定也有小小的难过。喜悲相抵，其实生活原本什么都没有。但是不折腾，恐怕生活就更无趣。这正如许多胸怀大志的人要挣大钱、当大官、写名著，那些虚名浮利并不能真正地带来幸福，无非都是折腾罢了。生活的滋味，或生命的意味，全在折腾里了，虽然有雅俗高低之别。

生活的场景看似每日不同，其实每天都在重复着陈旧的故事。比如，菜市场内外那些新鲜的瓜果菜蔬、鲜肉活鸡，以及市场旁边的拉面馆、米线店、春饼屋、烧烤摊，虽然不过是老百姓过日子的地方，但却是我们生命的必需。修自行车的摊点备有气枪，打一次气要给人家三毛钱。卖豆腐的摊子虽然挺多，但唯有下午五点钟左右开一辆电动三轮的老头卖的豆腐才好吃，去晚了买不到。卖肉饼的亭子经常排着队。汤馆虽然永远都是那么逼仄，每次去却总是人满为患。报刊亭子只有《十月》《当代》《小说月报》《儿童文学》几份纯文学杂志，剩下的全是美女俊男做封面的时尚、娱乐类杂志，无法不让人感到俗文化的泛滥。有一家敞开的阳台上生着两棵花树，冬天还曾怀疑这两棵树是不是已经死了，春天来时却开了满树的花。听人说，主人是位老太太，为了这两棵树，不肯封闭阳台，任它接受风吹雨淋。想这老太太也是性情中人，那两株花有福了。

然而我终于还是搬走了。搬完家，回头去处理一些破烂儿，竟然找不到一个收废品的。记得过去，收废品的、换纱窗的川流不息，吆喝声也各有特色。有一次我竟然看见十三辆收废品的三轮车齐聚一处，开了三拨扑克局，好不热闹。

离开多日，现在上街仍然喜欢穿过这个小区。花草还在，花枝依旧乱颤。许多草坪已经被挖掉，被就近人家种了菜园子。我很想跑过去告诉他，这里种出的菜污染可能会很严重，还是不吃为好。也想替一园的月季当回园丁，因为我发现，那些月季叶片上已经被虫子吃得惨不忍睹。

一年间，也曾在这里看过人家办丧事，一间帐篷搭的灵棚低低地响着哀乐；也曾遇过喜事，一身白纱的新娇娘满脸幸福。哀也罢，喜也好，都被生活的风风雨雨滤过，最后只有模糊的记忆。记得夏末秋初，夜雨淅沥，我站在窗前听雨声，突然发现雨水汇集在一盏路灯的底端，继而悄然坠下，那被灯光照耀的硕大雨滴，明亮晶莹，恍然觉得落下的是滴滴灯光。

生活本来就是这个样子，凡俗，庸常，却并不缺少美。那蝉潮，那花枝，那雨珠，那小园，无不见证着：生活多么可爱，生命不乏依傍。只要有一颗活泼而安静的心，桩桩平淡往事，总会幻化为人间美景，让人留恋和感恩。

卖兰花的人

李　楠

她 80 多岁了，还在花卉市场卖兰花，我习惯在午休时逛逛洋洋花卉，总看见她给兰花喷水、擦拭兰叶、配营养土。有时中午去，又看见她自己用酒精炉煮点菜汤，吃着从家里带来的面饼。她一年四季穿衣打扮几乎不变，冬天有时戴一顶灯笼花一样的小红毛线帽，身上总是一件对襟夹袄，有时是蓝的，有时是绿的，偶尔套一件灰马夹。她身材单薄矮小，我也想象不出她年轻时有多风韵。但她无故地却给人一股端庄持重之感，有些像已落魄的大家族中的老人家，地位没了，气度犹在。

她的摊位不大，位置也比较偏，我从没见她主动招呼过客人。即使一个人在她的摊位上待上好长时间，直到客人向她询问兰花的情况,她也不过是一个灵活的眼神探过去。人老了,眼睛还未老。由于她态度冷清，她的摊位客人并不多。

但识货的，总能鉴别出她花的品种。我开始跟她搭讪时，她亦爱答不理，后来大概觉得我还算懂些兰花，才渐渐熟络起来，陆陆续续告诉我一些她的家族往事。

她说，她是浙江海宁硖石人，我立刻想到了徐志摩。硖石不大，她说她小时候家境还算富裕，从小家里就养兰花。“那时候硖石的人家养兰花的，不是书香门第，就是富贵人家，普通老百姓家里是见不到的。”她眼里透出几分自豪。原来，这个叫徐桂英的女人的矜持与自信，果然是有些底子的。

我立刻问她知不知道徐志摩。“我见过他呀！”“你见过徐志摩？”我抑制不住惊讶。她告诉我，她与她后来的爱人从小一起长大，既是青梅竹马的玩伴，又是同学。“有一次去他家，看见他父亲，也就是我后来的公公在客厅跟一个戴眼镜的男人不知道争论什么，两人都很激动，争吵很大声，吓得我们不敢进去，就躲在楼梯口看着，后来佣人把我们赶走了。”后来有人告诉她这个人就是徐志摩，但她的公公张士章从来没向他们提过。“我公公从没有提过徐志摩，是别人告诉我他和徐志摩是朋友。”她说。

我回去立刻翻阅硖石与徐志摩的资料，发现在徐志摩于杭州府中读书期间的日记中写道：“今日一年级中亦拟招股，组织一球会，以余与徐元琳、徐钟琳、张士章诸君为发起人……”如果徐志摩日记里的“张士章”就是她的公公，那他不但是徐志摩硖石的朋友，还是一起去杭州读书的同学呢，他们曾一起在学校组织过球队。

细细推算，那时她年纪还小，她见到徐志摩时，应该是距1931年徐志摩飞机失事之前时间不长，那时徐志摩居住在上海，他回硖石干什么？为什么与朋友发生激烈的争吵？张士章又为什么在以后的日子里再没有提起徐志摩？

那么，她的公公张士章又是何许人也？她说，她的公公后来信奉基督教，一直在上海。前几年，老家有人联系到她要了一些张士章的资料，不知道做什么，再后来，就没了音信。

看来，有些故事注定要湮没在历史中。

后来，她又与丈夫到了北方，辗转过北京、天津，最后在秦皇岛落脚。她在一所部队的医院做大夫，一系列的历史更迭，他们早已不是硖石的大家子弟，而是生活在异乡的普通人。她说，她记得结婚那天，雕花大床上挂的是一幅杏花天雨的苏绣帐幔，轻软如烟，缥缈灵动。不知怎的，沉浸在幸福中的她突然有种不好的预感，杏花花期极短，满帐幔的飞花，是不是预示着她以后的漂泊？未来，与谁都似一本古书余下的残卷那一知半解的暗示！

秦皇岛良好的空气和风景给她的晚年带来了安逸。她说，岁数大了，人都有思乡之情，硖石的烟雨，青瓦灰墙，对她来说是一指流年，明媚不散的余香，这也许是她童年岁月的阵阵兰香，是她心底迂回着的乡音。她说，家乡话都忘得差不多了，家乡戏还能听懂。

我问她，后来你回过硖石吗？她说，回去过一次，从前的老房子离徐志摩故居不远，但如今都没了。

我可以想象她的失落，故园难回，只有在记忆里提取。如今的硖石，无论变成什么样，都与她无关了。

她说，她这一生，失去的太多，好在还有兰花陪她。我不知道，与兰花在一起，是不是她宿命里的一场必然。

今年过完年，她打电话说叫我过去，说岁数大了干不动了，儿女都让她回家，摊位上的兰花，能处理的都处理，留下几盆好的送给我。

我帮着她整理了一些存货，然后坐下来一起喝茶，彼此沉默着。莫名地，一股酸涩，一阵惆怅。她忽然说："你这孩子，倒是个好孩子，只是有时做人太过清孤，别人不是都能理解。"我说："你还不是一样？你的花这么好，可卖出去的这么少。"说得我们都笑了。

她又说："你做文章，书要多看，别只钻研文学，各类的书都通博，文学也自然水到渠成了。"

我说："你不干了，这些花可惜了。"

她说："交给你，我还算放心。"

有时我想，虽说她的岁数比我祖母还大，但从某种程度说，我们也算一类人。我们都喜欢并甘愿躲在生活的一隅，触摸着孤独，不愿被打扰。毕竟，不是所有的深情厚谊都需要强烈的表白。就像与这兰花，暗香幽然，阻隔了狂躁与聒噪，只想独守一份宁静。我想，她心中的砆石，一定是个无比美好的地方。

此后，我依然常去洋洋花卉，少了她的花市依然热闹繁华，就像这世界缺了谁太阳都照常升起。今年秋天，她送我的青山玉泉与绿鸟嘴都开花了，我又想起了她。

世上总有一些事情，成了夭折的故事，再难通晓结局，何况一生如此短暂，还会旁逸斜出许多另外的枝节。或许，故事已经完了，只是心还未死。但，总有一些沉淀，单纯如童话，如兰花的香气，即便自赏，也会心醉。

春天，在城市

李　霁

我家临街，从阳台上可以看得见街角的站台，10路、9路、31路公交车都在这里停靠。实际上，到站台等车的人并不多，三三两两的，我经常路过那里，偶尔也加入其中。我坐车通常是要去这个城市里最大的书店，只要不打烊，店里总是有许多人进进出出，很难找到座位或是安静地儿看会儿书，可我还是喜欢，因为在那儿我总能找到自己所需要的东西。

旅行对我来说，并不会有太多的快乐，特别是去一个陌生的城市，心里老是充满着不可预见的惶恐。有次出公差，路上就开始发烧。想想自己坐了好几个小时的车，却连那个城市的影子都没顾得上看一眼，也够闹心的。还是家里好，守着从不让人惊慌的熟悉场景，看阳台上那盆杜鹃花闲闲地开着，一副不紧不慢的样子。

无论身在阳台还是站台，我都能够获得一种观望或是感受这座城市气息的机会，有时我把身体交给它，有时以目光追随它。我的一位好友，经常乘10路车出行，碰见他的概率很高。几句寒暄之后，往往是他临时改变了计划陪我去书店，到了中午，我再陪他去烧烤店大口吃肉。他爱吃肉，心里不痛快的时候便喝点啤酒。只是，他不习惯把心事说给另一个人听。我们象征性地碰杯，谁也不多说话。就像住在隔壁的邻居，我曾经提议过请他到家里坐坐，他总是说：下次吧！人们对什么没有把握，或者难以敞开心扉的时候，总爱把交流推到下次。好在彼此懂得，并不强求。

我承认，我对这个城市有种莫名的眷恋，它温和，少有凌厉，即使拒绝，依然不露锋芒。对于外来者，更是敞开胸怀地接纳，就像大海一样。

因为深居简出，我的生活好似从里到外都散发着某些陈旧的气味，但并不令人厌倦，就像这个城市对我的无限包容。我始终不能融入城市绚烂的夜色，尤其不喜欢酒吧或是练歌城那种让人迷失方向的氛围。我似一只自由而又卑微的小鸟，天黑了就飞回巢中。夜里，听邓丽君的《绿岛小夜曲》，那缓缓流淌的伤感，反而让我更容易释放内心积存的不快。听歌的时候，我习惯在纸片上随性涂鸦，多是一些人名，这里面有许多人曾经进入过我的生活——小学的同桌、儿时的邻居、童年的伙伴……我们相识，然后又杳无音信。其实，自己又何尝不是某个人生命之中的过客呢？在小小的城市小小的世界里，我们相聚，之后又别离。

这几天感冒得厉害，四肢乏力。身边的女儿睡得香甜，轻轻为她掖一掖被角，顿时有了一种情感的依托。时间就像朋友，更像是敌人，默默地与人作着较量。曾经那么重要的人，却因了时空的阻隔，不知在东在南，在西在北，一想到这些，心就有些隐隐作痛。这种痛楚来自某种遗憾，以及不可捉摸的消散。

变得潮润的夜风，使得周遭早就濡染了春天的音质，只是我没有留意罢了。电视机里在播报一条消息：麦加朝圣踩踏事件至少244人罹难……我很难理解，他们是怀着怎样的心情面对朝拜中的死亡，年复一年。不久前在另一个电视节目中看见一个藏族老妪双臂高高地举过头顶，全身扑倒在地，起来，举过头顶，扑倒在地，又起来，举过头顶，又扑倒在地……她保持这样的姿势还要N次，才能虔诚地叩到塔尔寺。当时，我非常震撼，我被一种很深的力量牵引着、激荡着。这就是信仰吧？一种根植于内心本源的精神礼仪，它无形，却可以让双膝经得住石阶的磨砺，让额头经得起汩汩的血流。那么远的路啊，那么远……

我在金龙花苑住了将近一年的时间，在这儿，我有了家和孩子，我不知道在别人的眼里，我内心的满足是不是一种幸福。躺在沙发上看杂志，陪孩子在房间里捉迷藏，接过爱人递过来的咖啡，我喜欢把家里收拾得井井有条……这个周末的早晨，我望着对面的站台出神。在这里等车的人并不多，车依次进站出站，循环往复，多像人生之中俗常的生活，充满了让人眷恋的烟火气息。我的朋友很可能就在某一趟车里，经过这里时也许会注意到阳台上的我，然后轻轻地挥一挥手。

目光从阳台延伸到站台，我度过了整个冬天。此刻，窗外已经是春天了，尽管还需要体察与分辨第一缕春风怎样攀上了枝头。擦身而过的将不只和风暖阳、杏花春雨，还有在心头划过的浅痕，以及永不再来的岁月。这一刻我记住了，下一刻我忘记了，但生活不会，这个城市不会，它们能记住所有的日子，所有日子里无处安放的和迎风怒放的，那些花儿。

它们会记得楼上的阳台和街角的那个站台吗?

现在，只差一场春雨。当密匝的雨随势砸在玻璃窗上，我正舒适地靠在沙发上，手中握着滚烫的茶杯……我希望手中可以紧握的，身体所能依附的，永远是一份温暖。

我的村庄

刘艳稳

厨房操作台几乎被堆满了，那是从母亲的小菜园里摘下的黄瓜和西红柿，拔的小葱，割的新韭，砍下的卷心菜。黄昏归家推开门，看见这安静的鲜红翠绿，就如儿时散学看见了村庄“西头”自家屋顶上的烟囱在冒烟，心便安了。

村庄里还有“东头”“大后山”“小后山”“道港”“南道”和“北道”，六十几户，二百多口人，面水靠山居住在这些短街小巷。这个燕山脚下普普通通的小村庄，曾经是我的大王国。

井

家门口的井是供“西头”的人饮水用的，每天清晨，都会听到辘轳被摇得吱嘎作响，均匀的脚步声里汲满水的水筲在扁担两端上下跳动。我和姐姐轮流负责门口和庭院的洒扫，洒过水的土路散发出新鲜的土腥味儿，和这个清晨一样让人抖擞。冬天的上午，母亲会把麦子搬到井台上去淘，一边看管着院里的禽畜和院外的孩子，一边和对门、隔壁院里忙碌的婶子、大妈高门大嗓地说笑，手里却像变戏法一样麻利地把沙子和麦子清清楚楚地分开来。她弓着腰端起大盆，将一盆水倒到井台下时，我看到阳光在她乌黑的发丝上闪耀。夏天的晚上，孩子大人坐到井台上，男人们聊着庄稼的长势，女人们聊着吃食和孩子，孩子则不时跳起来用荆棵子去打飘来飘去的萤火虫。

父亲和叔叔、大爷曾修缮过井台，用水泥为石砌的井台加固，并在水泥未干时在平坦处划出了一个小小的象棋盘。那之后，父母用两截小树桩插活的柳树下，时常会看到被土地里的劳作拴住的父辈们就着阴凉偷闲的身影。

“吃一口井的水”，通常是乡邻表达亲近的说法。放在墙头的新瓦盆不翼而飞，也会用半天时间指桑骂槐地泄愤，自家娃在孩子群里受了委屈，也会心疼不过领着上门兴师问罪，过路的牛羊伸脖子扯下了刚开花的倭瓜秧，也会被追进院去说道说道，但毕竟“吃一口井的水”,哪家有个红白喜事必是一件群策群力的大事；谁家要给孩子拍照，会挨家找来胡同里最时髦的衣服穿上；柴米油盐的串换、应急时的摘借自是必不可少，少了半畦葱、几根黄瓜多是不会追究的。清苦的日子里，“吃一口井水”的人们不自觉地互相扶持着。

游　戏

村庄里孩子的游戏简单且古老，庄里的老人幼时玩过，我们还在玩。藏猫儿，就是捉迷藏，秸秆垛、大门楼、地窖都是好的藏身处；盖瓦，用一块扁石头去砸一定距离之外竖起的对方的扁石，砸倒为赢；跳皮筋，要伴着“马兰开花二十一,二八二五六,二八二五七,二八二九三十一……”的歌谣；玩嘎啦哈，嘎拉是牛、羊或猪的膝关节骨，宰杀时大人们会将它们剔出留给孩子，剐净，洗好，就是伴随整个童年的玩具。抛起沙包的瞬间，用手或捏或抓拿到自然散落的嘎啦里的一枚或几枚，但不能碰到其他嘎啦丝毫，然后再迅速接住下落的沙包。还有蒙天蒙地，天一拨儿，地一拨儿，各有首领，首领要给每个成员悄悄起一个只有首领和成员本人才知道的秘密名字，天那拨儿要取天上的名字，比如白云，或是玉皇大帝、嫦娥；地那拨儿通常会用花草树木、鱼鳖走兽、山川屋舍来命名。天与地面对站成两排，两个首领轮流蒙住对方一个成员的眼睛，喊自己一个成员的秘密名字，让他摸一下被蒙人的脸，被蒙的人若说不出摸脸人的真实名字，那这个被蒙的人就归对方阵营了，最后，要比一比天的人多还是地的人多，谁人多谁就赢了。

有时我们也会“创新”。“西头”有户姓尹的人家，主妇姓梁，论辈分我叫她奶奶，但她却极少摆出长者的威严，加之每次因生活的不顺，如孩子多吃食少，脑袋疼、牙疼无药可医，丈夫骂人等原因，她总要坐到门口的青条石上旁若无人畅快淋漓地哀号，一把鼻涕一把泪地哭诉她当初是如何错误地选择了“军官”丈夫(她的丈夫是曾参加过抗美援朝的伤残军人)。我们在围观久了之后就酝酿出新的玩法，每当听到她的哭诉启帷，“东头”“大后山”“小后山”“道港”“南道”和“北道”的孩子都汇集到“西头”，对着她高喊“老梁——老梁，有肚——没肠”！这是个谜面，谜底是瓶子，因为没有心肠所以能容能纳的瓶子。这时，善良的她不但不恼怒，甚至还会破涕为笑，被闹得狠了，她也只是起身回屋，关了院门，任我们趴在门缝儿，骑在墙头呐喊，她像没听见一样，继续躬身在灶间操劳她那 8 口人的日子去了。

耕　作

四季轮回，村庄里的人依时而作。

春种是要抢墒情的，一场春雨过后，村人都是举家出动，房前，屋后，坡头，岭上，河沿儿，男人们扶犁，女人拉着笼头牵引着牲口，孩子们在豁好的垄里播种，然后踢垄（用脚拨土把豁开的垄埋好）。平时各过各日子的成年兄弟姐妹，这时的互助体现得尤为充分——家族的人集体劳动，一家挨一家地种，种谁家的地谁家就要备午饭。犒劳种地的人,伙食自然要比平时“硬”些。所以种地对于孩子，除了逃脱不了的劳动，还有期盼的家族大聚餐。为了赶进度，午休是不能有的，撂下饭碗就要扛犁。邻近地里耕种的男人女人虽也不时地聊着天，但内容也多是互相督促、提醒、讨论着如何趁着这场春雨完美地完成春种。再紧张的忙碌，孩子们也不会放过开小差的机会。我会要求“歇息儿”（劳作间隙的短暂休息），然后迫不及待地扛上闲置的锄头去地头刨草药，边走边寻，柴胡、远志、白头翁、黄芩、防风、桔梗都是我喜欢的，但却嫌弃遍地都是的大玉珠和小玉珠，不单是因为镇里收购站贴出的价目表上玉珠的价格最低，更主要的是我愿意享受那种寻找然后再获得的乐趣。

地里的苗出整齐了，夏天就来了。耪地是夏天最主要的活计。手握一把锄头，一锄一锄地耪完几亩地，而且，要耪三遍——头遍地，二遍地，三遍地。到耪三遍地的时候，苗已经长得比人高，炎炎烈日，人隐没在蒸笼般的青纱帐窄窄的垄沟间，小心地锄掉每一棵杂草。母亲不会吟诵“锄禾日当午，汗滴禾下土”，但她会用“汗珠子掉地上摔八瓣”的辛劳教育我们要好好读书，只有读书才能摆脱“耪大地”的命运。村人用“耪大地”来指代世代相传的生产生活方式，说起这三个字，他们的言语间是带着嫌弃和自卑的，还有对不依赖土地的生活的羡慕和向往，但对待耪地这件事，他们却又严谨地近乎神圣。耪三遍，一遍都不能少，谁家的地耪得及时，耪得干净，街头巷尾都能听到称赞；谁家的耪得拖沓，耪得不仔细，就会被指指点点，甚至有长辈当面提出批评，落下笑柄。耪地虽劳累，却不似春耕那般紧张，也无须孩子参与，我便和伙伴们将大把大把的时光扑腾在村子南面的那条河里。夏日午后，劳累的父母总会午睡。蝉鸣聒噪，和着穿堂而过的风轻摇窗扇的吱嘎声，狗儿在树荫下吐着舌，看着在烈日下空旷的街道上游荡的我，猫在墙头上，若即若离地悄然尾随。此刻，我抬头看见的，都是明媚清澈的天空。

秋收，要颗粒归仓。再仔细的收获过程也怕有遗落，于是，在收获过的田地间，便有孩子的身影活跃着。捡豆子，捡玉米，捡高粱穗和谷穗，我最喜欢的是摸花生和白薯。拿一把小铁耙，在收获过的花生地里仔细地耧，不时有散落的花生从土里露出白肚皮，或是拿一把小镐头，在白薯地里顺着翻过的地垄刨，总会找到被落下的白薯。带着欣喜期待，不断有惊喜出现，乐在于此，更何况这些“惊喜”都是可以即食的。当苞米仓里堆满苞米，窗台上下垛满高粱，房顶上晒着花生，月台上码着豆子和谷穗，整个院子被秋天的收获填满时，父母的欣慰溢于言表：“秋儿都到家了。”这样的欣慰也填满了我的心，是莫名的满足、充实、安全感。

入冬，天寒地冻，凛冽的北风寂寥了山野。荷犁扛锄执镰的村人暂别了土地，但劳作却仍在热火朝天地继续。在北面山上砍下翠绿的松枝小山一样垛在板车上，只留下两条车辕，父亲低头俯身奋力拉车，母亲一样低头俯身奋力地推车，热汗透过棉衣在寒冬里蒸腾。这些柴火是一家人全年做饭烧炕的储备，灶间生火做饭，火苗舔着锅底，热气顺着烟道蹿到里屋的炕洞里，炕就热了。一爿热炕在冬天里对于庄户人家意义重大。它是暖气，占房间二分之一的热炕烘热了屋里的空气，一撩门帘热气扑脸儿；它是床，一家人睡在烙得慌的热炕上，只露着脸，寒风从窗缝钻进来在鼻尖儿上打转儿，却落不到炕上；它是沙发，母亲在炕上做针线，我趴在炕上看书，来了串门的，赶紧让炕上座；它是餐厅，父亲亲手做的炕桌放在炕上，热腾腾的饭菜端上来，一家人围坐而食；在哈气成冰的冬日里，它几乎承载了一家人的全部生活。

年　节

腊月底，是冬天里最忙碌的时候，“二十三，祭灶天；二十四，写大字；二十五，做豆腐；二十六，炖大肉；二十七，宰年鸡；二十八，糊窗花；二十九，糊门斗；三十炼油，初一磕头”。实际上，过了腊月十五，村人就已经开始为过年做准备了。腊月十六是镇上的大集，这是年前最后一个货物齐全的集了，是置办年货的高峰，因此比寻常更热闹，摩肩接踵，用在这儿不是夸张，是白描。

我在人群中挤来挤去，为的是选自己中意的新衣。每到年底，母亲都会省些钱出来，精挑细选为给我们姊妹三个添置新衣，从头上的绫子（用来做头饰的彩带）到脚上的鞋袜，而且必是我们中意了，母亲才会买下，这份宠溺是村庄里少有的。过了十六大集，父母亲便会率领我们姊妹开始声势浩大的扫除——拆洗被褥棉衣，院子里拴上好几条晾衣绳都被晾满，冒着热气滴着水的衣物搭上晾衣绳瞬间就被冻硬，得晒上好几天才干。买上专用的糊棚纸，父亲和请来的师傅踩着专用的高板凳，我们一边帮忙在纸上刷糨糊、递纸，一边兴奋地看着屋子被一张纸一张纸糊得白白亮亮。撕掉陈年的窗纸，就着日头窝儿（太阳光最强的时候）在窗框上刷上糨糊，糊上雪白的窗纸和母亲亲手剪的红彤彤的窗花。擦玻璃，我和姐姐一个在屋里一个在屋外，配合着擦，每擦干净一块我们就站远些端详一下，心里被那明亮照得舒展熨帖。扫房时，我们姊妹三个要把屋子里能搬动的东西，小到一把梳子，大到桌椅板凳，都搬到月台上，每人打盆热水，拿块抹布，一下一下地仔细擦净。母亲拿一把新扫帚把房间里上上下下、角角落落打扫过后，我们再一件件搬回去摆放整齐。庭院的洒扫也不能马虎，水泥路面刷干净，就连裸露的土地也要扫得发亮。连日不停歇的劳动让不断沾水的手在寒风里冻得通红生疼，但看着家一点点变得崭新洁净，闻着灶间蒸煮的香气，心里还是欣欣然地向往着。老少村人对过年的仪式感丝毫不敢懈怠，他们用不遗余力的劳作，表达对赐予他们生计的自然的敬畏和膜拜，表达对美好时日的虔诚期待。

担子上的花季

刘翠贤

注意那些特殊的女孩儿已经很长时间了。她们身着蓝色或者绿色镶花边的民族服饰，肩挑茶叶担子，或三两结伴，或孑然一身，默默地穿行于城市喧嚣的街道。从没听她们吆喝过，也少见有人买茶。她们普遍年龄不大，看起来只有十五六岁的样子。她们来自何方？在这陌生的都市，她们过得还好吗？

一

第一次走近这些茶妹子是一个黄昏。正是下班的时候，车流如织的迎宾路旁，一溜三个女孩儿静静地坐在路沿儿上，守着自己小小的茶摊。我停下脚步，一个皮肤微黑的女孩儿迅捷地站起身："大姐，买茶吗？喜欢哪种？"我笑着摇摇头，转向那个眼睛大大的女孩儿，"大眼睛"腼腼腆腆的，红着脸柔声细气地说："我们的茶可香了！"一扭头，第三个年纪更小的正眼巴巴地看着我："买点吧，大姐，挺便宜的！"

我们的交谈很轻松。我的关注令小姑娘们又惊奇又欣喜，争着抢着告诉我：她们是白族人，脸蛋儿黑黑的叫胡小燕，16 岁；"大眼睛”有个漂亮的名字——周润仙，也是16岁；最小的叫何艳芳，只有15岁。她们和同乡的另外十几个女伴一起合住在火车站附近的一间平房里。家乡云南大理在她们心目中是一个山清水秀、无限美好的地方，而且也并不贫穷。但为什么小小年纪就背井离乡卖茶为生呢？胡小燕高声讲：“出来闯荡闯荡呗！人生在世几十年的光阴，一晃就过去了，能出来见见世面总是好的。比方说，我以前只听说过长城很壮观，到这里就亲眼见到了。”我问：“在我们这儿，十五六岁正上中学呢，你们怎么不读书了？羡慕城里的孩子吗？”胡小燕又抢过话头：“我们那儿不像你们这么看重上学，读几年书能识点儿字，会写自己的名字、会算账就行了，我不觉得上学的城里孩子多么优越！”真是这样吗？看到周润仙、何艳芳欲言又止的样子，我不便深问。对胡小燕我倒萌生出几分兴趣：她吐字频率极快，音质干净、清脆，一串话讲出来，有如疾风掠过风铃般悦耳动听。而且，这孩子的思想和年龄太不相称了，在她并不见得由衷的话语下，会隐藏着一颗怎样争强好胜的心啊！

我征求她们的意见，可否拍张照片，没想到她们表现出异乎寻常的兴奋，甚至有些不知所措，不停地感叹：“要是早知道，应该换件新点儿的衣服！”马上按快门了，何艳芳还在喊：“千万别照脚啊！”当时我有些纳闷儿，照片洗出来才发现：原来她一只鞋的偏带坏了，缠了根白绳对付着。

二

一个假日，在街头又遇到胡小燕和另一个女孩儿唐凤琴。凤琴还不满15岁，长得温婉而美丽。小燕仍是一如既往地冷静，头脑清晰，思维敏捷，凤琴语塞时，她总会快速地用叽里呱啦的家乡话提醒。而当我问起凤琴对上学的看法时，她却不顾小燕的暗示，眼圈一红，落下泪来。她带着哭音，几乎是喊出来两句话："我想上学！我要回家上学去！"

原来，唐凤琴有一个姐姐正读高三，一个弟弟今年考初中。两年前她小学毕业，因为家里供不起三个"书包"，凤琴被迫辍学了。"我要回去考初中，我一定要上学！"凤琴漂亮的小脸儿涨得通红，像是在对天盟誓。"已经过去那么长时间了，再考还行吗？"我有些担心。"没问题！我姐就是在这儿卖了两年茶后回去考高中的，她比以前学习更好了！"是啊，历经 700 个日夜的艰辛，深深懂得了生活的不易，同时也磨炼出顽强的意志和不屈的信念，更增添了上进的动力，重返心爱的校园后，怎么会不加倍努力呢？

不久便听说凤琴已经回家继续求学了。真心祝愿她能像姐姐一样读完初中、高中，并且实现心中的最高理想：考上大学！

三

送照片那次我和茶妹子们聊得最畅快。她们一起去赶集卖了不少茶，丰收了，大家都很开心，七嘴八舌地聊起家乡山花开时风景多么美，怎样兴高采烈地跑到山上嬉戏、玩耍，节日或者娶亲时怎样唱歌、跳舞狂欢……她们说山歌没有固定的词谱，看见什么就唱什么，心里想什么也可以随口唱出来。我撺掇她们给我唱一支，几个小姑娘你推我、我搡你，谁都不好意思。我点了音质最美的胡小燕，一向爽朗大方的她竟也扭捏起来，实在躲不过，才唱了几句。然而她刚一开口我就震惊了！她唱的什么词我听不懂，但那声音、那曲调，仿佛不是属于人间的：清亮悦耳，婉转空灵，还蕴含着难言的忧伤，如珍珠撒落玉盘，又似嫦娥轻舒广袖，刹那间时空似为之凝滞，车鸣人声全然消逝，只有歌声荡漾天籁……

她说："大姐姐认识你真好，真舍不得离开你！"我的眼泪再也忍不住了。多么曼妙的歌声，多么纯净的心灵……这只神奇而倔强的燕子，原本应该属于宽敞明亮的教室和布满鲜花与掌声的舞台啊！

就在我求朋拜友四处奔走为小燕寻找伯乐的时候，却突然得到消息：胡小燕走了，没人知道她去了什么地方。她留下话：一辈子都忘不了我，但她不想给我添麻烦。周润仙还含着眼泪告诉我："其实，她们当中小燕学习最好。可她爸爸外出打工客死他乡，妈妈常年卧病在床，弟弟妹妹还小，家里日子实在太难，小燕永远也不可能再次背上书包了！"小燕，小燕！你这个聪慧、机敏、自尊、成熟得让人心疼的孩子，又到哪里去闯荡了啊？哪里的天空会飘起你如同仙乐的美妙歌声呢？

四

一个假日的午后，我在街头遇到一个又瘦又小的卖茶女，她叫贾小梅。我跟她打招呼，她只是抬起眼睛看看我，便重新垂下头。我发现她的眼睛又红又肿，像是刚刚哭过。我再三追问，她才抽抽搭搭地向我讲起那天发生的事。

上午，一个刺着文身、染着"火鸡头"的年轻人路过小梅的茶摊儿时，丢下句"来点茶"，顺手抓了两把就走。小梅急了，扯住他的衣襟："我也不容易，不能白给你那么多！"没想到"火鸡头”却恼了，不但不掏钱，反而把手里的茶叶抛在路上，抢走小梅的秤砣和舀茶的勺子。小梅哭着追过去向他讨要，他竟然骂骂咧咧地转回身来一脚踢翻了茶摊儿。附近一个小吃店的老板看不过去，帮小梅夺回了秤砣。然而，茶叶损失了不少，勺子也被“火鸡头”踩坏了。

同伴劝小梅：“别伤心了，这样的事，咱们哪个姐妹没碰到过？出门在外有什么办法？只当几天没开张算了。再说，还有好心人帮你要回了秤砣，够幸运了！”如果说就这件事，我还能红着脸勉强劝慰几声，可是另一个名叫何秋平的女孩儿的经历，真的让我感到无颜面对这些孩子。

五

前些天工作很忙，一直没能抽出时间与她们联系，我的心里常感到莫名的忧虑。这天下班，我没有回家，径直奔向迎宾路——茶妹子回家的必经之地。已经骑过两个路口了，还没见到一个熟悉的身影。天渐渐黑下来，我有些心焦。终于，前面远远地出现一高一矮两个蓝色的小人儿，是她们！我加快速度，她们也停下脚步——不过却不是因为看到了我，一个摇摇晃晃的男人喊住了她们。我心头一紧，快蹬几步，在距离四五米远的地方停下自行车。那醉汉刚刚让矮个女孩儿放下担子，回头吆喝愣在一旁的高个子：“去去去！远远闪着，我买她的茶，你凑什么热闹？”我暗叫“不好！”，灵机一动，举起随身携带的相机，连拍几下。刺眼的镁光灯震住了醉汉，趁他还没反应过来，我上前拉起两个女孩儿撒腿就跑。

得知我就是那个给茶妹子照相的好心的大姐姐，这两个惊魂未定的孩子对我格外友好。我们边走边聊，很快就熟悉了：高个叫张小芬，矮个叫王红英，刚来港城20天，好多地方还不认识，又和同伴走散了，差点迷了路。她们说刚才多亏了我，真不知该怎么感谢。不过当我提出去她们的住处看看时，两人却异口同声死活不同意，到最后，都快哭出来了："大姐，我们都知道你是大好人，我们都特别信任你！可是我们'家'太窄、太破、太脏了，你要实在想看，等哪天我们收拾干净再请你去，行吗？"

我只好告别了这两个新结识的茶妹子。已经走出去很远了，还能依稀看到她们向我用力挥舞着瘦弱的手臂。华灯初上，霓虹闪烁，好一派祥和的景象。然而此时此刻，在这些曾无数次被茶妹子用脚丈量过的华丽街道上，却寻觅不到她们单薄的身影。其实岂止这些茶乡妹子，多少白昼在忙碌的建筑工地、污浊的清洁现场挥汗如雨的农民工们，到了居民小区灯光明亮、饭店酒馆觥筹交错的时分，却不约而同像人间蒸发一样，消失了踪迹，悄无声息地退到繁华背后最简陋、最阴暗的褶皱里。

六

唐凤琴走了，胡小燕走了，何秋平也走了。又来了贾小梅、张小芬、王红英……人们依旧可以在城市的街巷看到她们或蓝或绿的身影。担子悠悠，岁月悠悠，这群异乡的茶妹子，迈着并不轻松的步履，在别人的田地里走着，走着，在钢筋水泥的丛林里寻觅被遗弃的秕谷。不经意间，于街头巷尾撒下一缕缕清香，为都市描上一道道流动的风景线，也体验着人间冷暖。她们知道，脚下的路并不平坦，但依旧会顽强地走下去，一步一步，向着心中的理想，向着各自的前程……

港 城 人

亚 刚

港城——海港区的别称。说到这个因港口而得名的市辖区，人们常用这个别称，除了简便以外，更体现着生动与准确。

这是一座风光秀丽的沿海开放城市，作为政府机关所在地，港城毫无悬念地成为全市政治、经济、文化中心。然而，翻开秦皇岛史册你会发现，真正能令港城人感到自豪并作为传统得以继承的东西并不多。追溯过去，港城既不像卢龙那样具有孤竹国都的古韵流长，也没有山海关历代积淀的长城文化厚重的底蕴。在近代中国沿海地区被动或主动地开放以后，也不及北戴河以其山清水秀的避暑之胜地而芳名远播。港城占据在史册中的，除了一百多年前实实在在地建起来的一座码头之外，便是更遥远的两千多年前秦始皇东巡求仙的故事。

放眼今日港城，说它已具备现代化雏形也许并不为过。它正像南国的深圳一样，除了浓浓的开放气息，还有另一个明显特点——外来人口众多。而且，这里的地方经济，也因为外来人员的涌入而以迅猛之势蓬勃发展。港城兴起于港口，过去在码头上干抬煤活计的苦力，便是由山东人组成的。当年的山海关，在日本宪兵的肆虐下变成了一座鬼门关，那些闯关东逃荒的山东老乡无法过关，只有靠到码头上出卖体力勉强糊口度日。据说，港城地名中的山东庄、山东堡，就是那个年代留下的产物。如今，这些山东人的后裔，生于斯长于斯，早已成为正宗的港城人。

解放后轰轰烈烈的经济建设，津、唐一带各类人才进入港城者居多。从 20 世纪 50 年代开始，各企事业单位的工程技术人员，各机关单位的干部，多数人一开口，不是操着天津话，就是明显带着唐山及周边县区的老呔味儿。当我们的国家进入改革开放的新时期，由于得天独厚的宜人气候和便利的交通条件，港城人口迅速增长。各地人士像是一下子发现了港城的魅力，纷纷举家前来，独身而至者亦不在少数。尤其从东北地区来的移民，几乎形成了汹涌之势。他们带着新的经营理念活跃于各行各业，多数人在第三产业之中大显身手。此外，本市其他区县来港城谋生或担当重任者，同样大有人在。这种人口融合的特点，使得港城市政建设日新月异，信息交流日趋灵敏畅通，人们的开放意识也更加强烈。

港城，终于呈现出现代化城区的独特风韵。

虽然港城的经济发展起步较晚，但是，港城人的文化品位却当属上乘。每年农历五月的望海大会，是港城人最具地方特色的一道“大餐”。这一天，文艺活动为主，商业活动为次，在紧邻码头的秦皇求仙入海处，人们载歌载舞，一派歌舞升平的景象。而在平常的日子里，广场、公园甚至道边空地，总有不少人或舞蹈、或歌唱、或演奏，港城人懂得自娱自乐的趣味，活得充实，有味儿。

港城也造就了一些引以为荣的杰出人士。画家董辰生展示民族风情的写意人物画，在全国美术界独树一帜；刘秉义、田毅的演唱群众喜闻乐见，他们将两代歌唱家的风采传播到大江南北；储智博在影视中塑造的男子汉形象一个比一个成功；韩剑光在评剧界越演越红，展露出不凡的实力；尚大庆表演的小品，享誉军内外，数次登上春晚舞台……我在写下这些家乡骄子的名字时，心中难免由于偏爱而沾沾自喜，因为我们同是土生土长的港城人。

因地理位置的缘由，京、津、唐和东北的生活习俗很容易传到这里，不论穿戴、饮食、艺术审美，融汇了华北与东北理念与习俗的港城人，总能随着大都市的潮流而动。即使面对如今服务业、娱乐业、房地产业令人眼花缭乱的繁荣表象，港城人也依然表现出一种豁达与淡定。

说到豁达，还表现在港城人的乡土观念上。秦皇岛所辖区县外加经济技术开发区，随着城市建设的发展，各区县迁居港城的人员也在逐年增加。来自同一地域的人，感情上总有一条纽带，自觉不自觉地会形成一个圈子，港城人却不这样。因为工作调动或就业等原因，港城也有人到其他区县定居的，这些人没有那种所谓的老乡观念，胸怀着城市的整体意识，坦然地面对工作与生活，把自己当作本地人，融汇于接纳自己的乡土。如果将眼界再放宽，何止是本地呢？跨出本市、本省乃至跨出国界的港城人大有人在，他们同样能在当地随遇而安，和谐地生存，靠的也是这种融汇性。

港城因港而生、因港而兴。如今的港城人，正像现代化的秦皇岛港一样，面对着生活的大潮，向世界展示自己独特的魅力。

第三辑

心灵港湾

妙绘青山入画图

——记海港区驻操营镇龙泉村党支部书记温守文

刘萌萌

我要赶往的，是一处叫作“龙泉庄”的山中村落。临行前，简单做过功课，得知，村子小——总共 110 户，400 口人。这也没什么，那些大山的褶皱里，该藏着多少单薄的村庄啊，有名的，无名的，徘徊村庄上空的炊烟，那短暂而虚无的幻景，连同薄脆如纸的命运，一年四季被自然界的狂风胡乱而又随意吹动……而我只是去那里完成一次采访，仅此而已。

车过石门寨。猝不及防的景象牢牢攫住我的视线——群山连绵，出现在我的左右、前方、身后、怀抱，也是环绕。很多时候，只消拉开车窗，伸出手，似乎便结结实实触摸上一座山的静默。危岩兀自悬在头顶，俯瞰脚下的风吹草动。车子划着漂亮的弧线，流畅驶过。进得山来，任何大惊小怪的担心都是可笑的。真正惊心动魄的，是远远近近的山坡，骤然间，似有惊雷滚过——万物萧索的冬季，层出不穷的韵律和着节拍在山坡上旋舞，跳荡。井然的条理，分明的层次，盘旋着，攀升着，纷纷挣脱黄土的束缚，于冬日的风中，一遍遍歌咏和舞蹈。没错，是梯田！那越来越高，越来越高的韵律，直要伸插到云霄里去……忽听司机说，龙泉庄村到了。他指向眼前的一幢二层小楼："喏，这就是温书记家。"

日光下，全无人影。一只小狗突然跑来，望向我，一味打量，并不吠叫。村子里的寂静，倒叫人有些无所适从的慌乱。温书记就是这时出现的——大门拉开，老人微笑着，站在门口朝我招手。

室内陈设极简净，一几，一钟，再无其他。偶一回头，西墙上辟一门，门外青山穆穆，近切得伸手可触，是天然的屏障，更是可遇不可求的造化，非人力可为的胜景。山中有村，村中有山，此中人事，呼之欲出。

温书记笑眯眯地坐在上午的阳光里，面目蔼然，活脱一尊土地老儿，安然、自足地生活于这片山林之中。可人终究不是神，龙泉庄村也不是世外仙境，喧嚣而又寂静的龙泉村里，他一个人躬身扛起那么重的负累（他称之为"责任"），巨人般，走过漫长的岁月，身后起伏四十年的漫漫长路。

龙泉庄村深隐的命运，与温守文这个名字紧密相关。温书记言语轻缓，嗓音低沉的讲述中，龙泉庄旧事扑面而来，真像一场纷扬的雪。那时候，龙泉庄还不叫龙泉庄，而是娃娃峪，燕山深处荒凉偏僻的小村落。

1950 年，温守文出生在这座贫瘠的山村。20 世纪 70 年代的娃娃峪，贫穷得很，吃饱肚子是村民们最奢侈的愿望。温守文和村庄里很多年轻人一样，改变生活的贫穷面貌，吃饱，穿暖，家家过上幸福的好日子，成为压抑在心头多年的梦想。

田间地头总能看到他劳作的身影，加之爱动脑，喜琢磨，常提出一些增产增收的好点子，深受乡亲们的喜爱。1974 年，年仅

24 岁的温守文光荣入党，并被推选为大队副书记。然而，一次集体劳动中，温守文不慎失去左臂。领导同情，让他担任公社的会计辅导员，每月 300 工分加 15 元钱。想想看吧，一年 180 元钱，20 世纪 70 年代的乡下，可以解决多少生活问题啊。温守文得到的，无疑是一份令人眼馋的美差。可是，安稳的生活，待遇优厚的工作，并没有让温守文的内心得以安宁。家乡贫穷的生活现状，乡亲们愁苦的面容，让他寝食难安。温守文的家距离中心村一公里，好些心存志向的年轻人晚上常来找他聊天，大家敞开心扉，讨论、谋划着如何改变家乡贫困的现状。大家迫切希望温守文能够回来，带领他们一起干。对于温守文而言，这是一个艰难的抉择。首先，自己是残疾人，下地干活面临常人难以想象的困难；其次，家里人能同意吗？放着好好的工作不干，偏要回来挨累受苦！听说他要回村的打算，父母反对，妻子急得掉眼泪，很多人都觉得荒唐：一个残疾人回家务农，是不是疯了？

倔强的温守文横下一条心。辞去公社的工作，回村当书记的温守文宣布的第一个决定就是：改河造田。

他带领全村的党员和团员，怀揣干粮，肩扛锹镐，挖河滩造良田。失去左臂的他和别人一样劳动，一只手拿不住铁锹，就用手臂与身体夹着锹把，上臂皮肉不知磨出了多少血泡，血水与衣服粘为一处。他咬紧牙关从不吭一声，就怕被人发现，大家会同情、怜悯自己。没有机动车，只有手推车。人工平整，筑坝，肩扛人抬，苦战一个冬春，增加耕地 120 亩。这一年，他们获得了大丰收，一人一年能吃上 100 斤大米，粮食增产跃居全县第一。唐山地区劳动简报刊登了他们的事迹。

填饱肚子，仅仅是迈出了第一步。接下来，他思考的是怎样让大家过上好日子、手头宽裕、有钱花？结合本村实际情况，经过深思熟虑，他提出四个“一万棵”，即“种一万棵板栗、一万棵苹果、一万棵山楂、一万棵梨树”的发展思路。他的做法遭到村中一些老党员的强烈反对。“唯生产力论”的帽子，让他去了抚宁县洋河水库学习班，说是学习实则是反省。期间，三分之二的时间在小房间中被勒令写检查。温守文感到从未有过的痛苦与迷茫。一直以来，他心里装着的是娃娃峪村，是村里的百姓，如今,却被关起来违心地写检查。温守文像个细心的绣娘,从头至尾，一丝一缕，用心梳理过往的点滴。他确信，自己并没有错，就算被孤立，被误解。晚上，他与学习班上的同学展开真诚的讨论，明辨对与错，是与非。期间，驻操营副书记李占义也来这里办学习班，大家同住一屋。认真聆听过温守文等人的讨论后，他郑重地说 ：“温书记，你们不是犯了生产路线的错误，而是思想的新与旧、落后与先进的交锋。你没有错，要坚持。”一席话，仿佛黑暗中亮起的灯盏，给予温守文莫大的安慰。“嘤其鸣矣，求其友声”，艰难的境遇里，真挚的理解尤为珍贵。

1980 年，作为公社试点，村里率先实行了包产到户。口粮田分给百姓，多收多吃，少收少吃。谁都清楚，对于残疾的温守文来说，这意味着什么。有人背地里冷嘲热讽，说尽风凉话，“这下儿啊，放羊都没人要温守文喽。”

40 年过去了，说起那天的情景，温守文历历在目，就像刚刚发生过那么真切。妻子身体不好，患有胆囊炎，怕劳累，温守文又有残疾，两个人在农田里干活时经常相互鼓励，要么就唠唠家常，彼此宽慰。那天的地特别不好榜，太阳火辣辣地照在头上，脚下干硬的黄土像是生了根，冒着烟，怎么也钉不碎。倔强的温守文忽然不知从哪儿窜出一股火气，他把手中的锄头猛力一掷，高声说道："我温守文还真不是放羊的料，我要去干大事业。"他对妻子说："我去办工厂，过好日子！"妻子觉得丈夫简直是痴人说梦，"家里没钱，你怎么办厂啊？"温守文似乎早就打算好了，胸有成竹地说："村里的五金厂不是早就破产停工了吗？我还清银行欠款，承包下来，重起炉灶。"听了他的打算，书记沉吟片刻，面有难色，说："这恐怕不好。如果你办厂子赚了钱，会在村干部中间造成什么影响啊？"碰了一鼻子灰的温守文并不灰心。他找到三叔，让三叔以自己的名义提出承包工厂。书记不无顾虑地对着三叔一番打量，留下一句斩钉截铁的话："承包给你可以，但绝不能让温守文插手！"

阻挠和反对，反而愈发坚定了办厂的决心。性情随和的温守文，生就一副倔强硬骨。工厂承包下来，剩下的事情就要靠自己的本事了。他要证明给别人，更要证明给自己看。温守文开始四处奔波，借钱、购买原材料、生产产品、到全国各地去推销……日子好似踩在风火轮上。天道酬勤，工厂不久便有了不错的收益。1984 年，温守文一下子就赚了 12 万元，成为当地"首富"。消息传开，小小山村不啻一锅沸水，惊讶、羡慕、喜悦、嫉妒、赞叹……一时间，沸沸扬扬。时间长了，乡亲们生活中遇到经济困难，都来找温守文借钱。温守文仔细算了一下，真够骇一跳——足有 43 户之多。也就是说，村子里半数以上的人家都来借过钱！靠借钱生活，总非长久之计。温守文对妻子说："眼见乡亲们过苦日子，实在于心不忍。作为家乡人，问心有愧啊。我得想办法，帮助乡亲们富裕起来！”温守文说，“这是发自内心的同情，也是一种责任感，更是作为家乡儿女的自尊啊。”

贫穷的村庄，始终是温守文内心的隐痛。当村干部，受穷挨累倒也罢了，用妻子的话说，那些年，温守文一门心思为了这个村好，为了大家好，到头来，还不是蒙冤枉受委屈?

冥冥中似有天意，龙泉庄的命运注定是温守文一生的守望与背负。时间转眼到了 1990 年，村支部换届改选。党员们联名要求乡党委做工作，劝说温守文出任村书记。这其间，乡书记两次去家中拜访，转达大家的期盼。事实上，能再次为家乡出力，是温守文一直盼望的。他担心的，只是妻子的态度。选举结果不出所料，温守文轻松当选，此乃众望所归。妻子气他没记性，整整一个月不理他。说起往事，说起老妻的犟脾气，温书记忍不住笑起来。爽朗笑声中，不无天真性情，也有夫妻间多年相知相守达成的默契与理解。

有了这几年办厂经验，上任后，温守文决定给村里办企业挣钱。他先后到东北大学、山东科学院拜访专家，经过考察、论证，最终选定球磨机研磨球项目。这需要一大笔贷款，可村里还欠银行一万多块钱未还。为赢得贷款，温守文用自己的钱还清欠款。对于那时的百姓而言，这 14000 块钱无异于天文数字。银行领导听说此事，很是诧异，决定与他见一面。一番交谈之后，银行领导十分敬佩温守文的人品，也完全看好他的企业发展规划，爽快地同意贷款，但仍有一个难题——需要 30% 的自有资产作为抵押。村里根本就没有可以抵押的资产。思来想去，温守文决定把自己的五金厂抵押出去。新的问题随即而至：五金厂属于私营企业，不能抵押集体贷款。眼见事情功亏一篑，温守文心一横，索性把五金厂转让给村里……三弟气得跳脚："你疯了是吧？"望着门外连绵叠峙的青山，温守文淡淡地说："那时，我就一个坚定的想法，把集体企业顺利办起来！"值得一提的是，这次任职期间，温守文提议给娃娃峪村改名。他说，我们不能总当小孩子，按照中国人的传统观念，望子成龙才是正途。而且，村庄北边有山，山脉很长，两边延伸开去正如两根龙须，山顶像龙头，老辈人叫作"龙山"。难得的是，庄子里有一眼长年流水的清泉，与龙相得益彰。于是，娃娃峪正式更名龙泉庄。

龙泉庄耐磨材料厂很快建成投产。其时，全国矿山企业、铁矿、水泥厂，蜂拥而上，市场需求量相当大。1993 年，工厂利润高达 40 多万元。温守文首先创办了龙泉庄小学。生活从来不会一帆风顺，龙泉庄，这叶小小的扁舟，艰难地颠簸在风口浪尖上。不久，国家出台了宏观经济调控政策，建筑业压缩，水泥、建材行业直接受到冲击。三角债的经济纠纷最终把龙泉庄耐磨材料厂拖垮，全部资产也因拖欠银行钱款被抵债处理。面对毁灭性的打击，温守文，连同他身后沉寂的龙泉庄，似乎已是山穷水尽。屋漏偏逢连夜雨，多种疾病纷纷找上门来：神经官能症、糖尿病、冠心病、胆结石。1997 年，温守文做了胆切除手术，在精神与肉体的双重折磨下，他只好提出休息一段时间。

日子陡然安静下来，温守文有了足够的时间进行思考，尽管，这思考充斥苦涩的气味。他回顾 20 多年来自己为了改变家乡面貌所做的种种努力，以及两次均告失败的历程。若说温守文有过人的聪明之处，就在于他从不推卸责任，善于从自身寻找不足。经过思索，他认识到，改变家乡面貌，光凭良好愿望和热情还不够，发展是一门学问，应该因地制宜，扬长避短。立足于自身优势，发展才能立于不败之地。他久久凝视着窗外苍莽的群山。对于龙泉庄而言，连绵起伏的群山，既意味着与外界文明的阻隔，也预示一种独特的先天资源。龙泉庄的优势是什么？是山啊！开门见山的地理环境，造就独特的盆地生态。此处山场面积大，坡地多。他脑海中忽然闪过一道光亮——1995 年，他多次去矿山搞推销。有一次，他去到兴隆县蘑菇峪乡，中途修路，夜宿一户百姓家。这里同样地处偏僻山区，光秃秃的山上没有一棵树的影子，唯有岩石入目，山势多壁立而起，非常陡峭。山高，沟宽，多水。河两岸，人们用石头垒砌成墙，几乎没有一块可以种粮的土地。温守文好奇地问主人，收入靠什么？主人向窗外一指，只见山脚下，到处都是栗子树。主人说，都是祖辈们栽下的老栗树，一年足可收入四五千块钱。我们就靠栗子树过日子。温守文当时就冒出一个念头：我们龙泉庄比这里自然条件好，倘若也能满山遍野栽种栗子树，该产生多么巨大的经济效益啊！

温守文一扫内心的阴霾，满怀希望，开始了马不停蹄的奔波。经过多方请教专家，搞市场调查，最终得知，受气候、土壤、光照等条件影响，北京以东至山海关约 400 公里长、承德以南至渤海湾一带燕山山区，是全国乃至世界最好的板栗产区，所产“京东板栗”营养价值高，口感好，市场供不应求。龙泉庄，正处在这一地理区域内。村里的大面积山场，坡地，用来发展种植板栗，岂不是得天独厚？而且，板栗抗干旱，耐瘠薄，后期管理不需大量投入，成材后盛果期可达百年。

发展板栗业的想法在温守文的内心终于酝酿成熟，就像一颗饱满的种子，适时落入春天的泥土——温守文默默构想龙泉庄未来蓝图的这段时间，村民们对他的挂记和惦念也一日深似一日。终于，1999 年，在村民们的热切盼望、领导的殷切期待中，温守文再次重振旗鼓，第三次出任龙泉庄村书记。经过前两次的历练，如今的他，更理性也更成熟。

“种植板栗，做大做强板栗产业，一定会让全村人都富起来。”上任伊始，温守文明确了龙泉庄的发展思想，并提出“栽上板栗两千棵，十年楼房小轿车”的发展目标。为了让村民和村干部能够对板栗业有正确、充分的认识，他逢人就讲“板栗经”，算经济账，号召百姓全力以赴，把所有土地用来种植板栗。为此，他还撰写了很多鼓舞士气的标语，比如“站在高山看世界，脚踏实地建家园”，又如“因地制宜抓特色，围绕特色搞产业”。就连背着书包的娃娃们，放学路上也在边跑边喊：“栽上栗树两千棵，十年楼房小轿车。”……群山环抱中，稚嫩、清脆的童音，飘荡在整个龙泉庄的上空。

为使大家对板栗业能有更直观的了解，更加坚定信心，温守文自己掏腰包，雇三辆大客车，每家至少派一名代表，去迁西、迁安等地参观，那里的板栗种植业让村民们眼界大开，经过比较，村民们打心底更加佩服温书记——龙泉庄发展板栗业的确有着得天独厚的地理条件。为了进一步打消村民顾虑，温守文带头包了 100 多亩荒山，率先栽植栗子树。到 2004 年，他家共植栗树 2 万多棵。父母、兄弟姐妹、亲朋好友，在他的带动下行动起来，多则上万，最少的也种了四五千棵。至此，村民们纷纷果断加入种植栗树的行列。一时间，龙泉庄掀起包山栽栗树的热潮。此时，温守文下了“死命令”：山坡上栽下栗树，三年内统统修成梯田——外沿高，里沿低，才能有效防止水流失。困难依然尾随——水资源匮乏。不要说水，山上连条路都没有。温守文通过实践，摸索出旱栽栗子树的办法。但是，要想保证稳产、丰产，得有水利资源的充分保障。怎么办？修路！温守文带领村民，开始了漫长而浩大的修路工程。温守文拖着病体加入劳动的行列，累倒在工地上。妻子心疼了，态度坚决，不答应他再去“作践身体”。温守文只一句“全村老百姓都看着咱呢，不干，毁了全村致富的希望啊！”转身又出了门。

四年间，村民自行修建山路 41 条 61 里，打大口井 8 眼，建引水上山工程 8 座，实现了沟沟通山路、坡坡有水源，彻底解决了灌溉问题。道路贯通那天，大家把农用车兴奋地开到山顶上，激动的场面比过年还要热烈。阵阵山风中，站在山顶远远眺望祖辈栖居的村庄，龙泉庄人的喜悦、自豪之情溢于言表。

接下来的一切，似乎顺理成章：

2012 年，龙泉庄共收获板栗 60 万斤，仅种植板栗一项，人均收入超过 1 万元；2013 年，收获近 85 万斤，人均收入达 1.2 万元，占全年人均收入的 67%；同年，新民居建成，2014 年春节，村民们欢天喜地搬入联排别墅式小楼……温守文终于可以舒心地笑一回了。

“不谋长远者不足以谋一时，不谋全局者不足以谋一隅。”这是温书记常说的一句话。现在，他悄悄筹划新的发展目标：一业延伸，四业循环，同时，发展旅游。即在做大做强板栗产业的基础上，建立起牧草—绒山羊—沼气—板栗—栗蘑的生物生态循环产业链条。

在温守文看来，农村干部要善于学习，找准村庄优势，扬长避短，才是发展的通途。不仅如此，还要把家乡当一幅图画去画——“夏天，翠柳成行，树下是低矮的灌木、黄灿灿的连翘花、不知名的野花……而皮实的草本植物，春天里就等不及了，匆匆忙忙着起绿袄。那时候你来，我们的大山满目青翠，处处生机……”温书记的脸上泛出孩童般的快乐。

眼前这张镌刻着皱纹的脸上，我看到的，不是岁月的沧桑、磨砺的苦楚，而是一名画者的痴爱与迷醉，烈酒般充斥他心房的，是此生永无割舍、有多痛苦就有多幸福的——恋恋乡愁。

父亲，我终于懂你

——杨贺然在杨家琛同志先进事迹报告会上的发言

杨宏玲

世事无常，以为是永远的东西，有可能会转瞬即逝，怎么都抓不住，我想这就是人生。2015 年 8 月 3 日凌晨，我的父亲杨家琛因为过度劳累突发心梗，抢救无效，永远离开了我们。我知道，自己还没有完全准备好，怎样面对没有他的日子。爷爷奶奶年迈，母亲身体孱弱，弟弟尚未成年，他视若珍宝、百般呵护的女儿，不得不马上成熟，成为家的支撑。

一切都太过匆忙，父亲没有留下一句话。这些天里，我看到、听到、感受到的太多太多，我急迫地想从中了解我的父亲，想真正懂得他的所思所想、所作所为。

曾经，我怨恨过父亲。2014 年我大学毕业，没有正式工作，因为所学专业是音乐，想学以致用，便与父亲商议租用村里的商品房与同学合作开家文艺幼儿园，甚至悄悄进行了多方考察，但万万没有想到的是，我的想法被父亲一口否决了，没有半点商量的余地。那是我记忆之中与父亲第一次闹矛盾。梦想破灭了，心里特别堵得慌，也特别不理解：父亲当村干部不但没有成为我的优势，怎么还就成了我的坎了呢？

当然，对亲人的铁面无私不单单对我。舅舅、大伯无不因为父亲的“黑脸”而失去与普通村民公平竞争的承包机会。大娘在村里干了20年的会计，因为他的一句“不合常理”改当了妇联主任，今年大娘因为患了甲状腺结节要去医院检查、抓药、治疗，有时要耽误班儿，父亲便决绝地说：“嫂子你别干了，影响不好。”凡涉及集体利益的事，父亲对亲人苛刻得近乎无情。

可是对村里百姓，特别是弱者，他却有着绕指柔肠。还记得父亲上任伊始，有一位七八十岁的孤寡老人家，有段时间不分早晚天天去家里敲门。有一天晚上，老人又来了，没吃完饭的父亲二话没说便撂下饭碗，陪老人说话。因为时间有点长，老人要走的时候怎么都站不起来。父亲便与他面对面，慢慢将他拦腰抱起，老人嘤嘤地哭了，他说：“家琛啊，你可是大好人，这辈子只有两个人这样抱过我，一个是我妈，一个就是你。”后来，老人来的时候，便会哆哆嗦嗦地打开皱巴巴的手绢，有时是一块月饼，有时是两块桃酥。对老人家来说，那是他最重的心意了。

父亲虽出身贫寒，只有初中文化，但他肯钻研，有头脑，能吃苦，会经营，20世纪90年代初他开始承包砖厂，之后开旅店、饭店，做煤炭生意，年收入逾百万。那时候，在以穷困闻名的村子里，父亲是大家公认的“能人”。我也相信，如果父亲的生意一直做下去，一定会是一个成功的企业家。但是偏偏，父亲做出了让我百思不得其解的选择。他选择了临危受命，放下自己日益红火的生意，回村当了村干部。当年我只有9岁，不懂他为什么放着老板不当，偏偏去当一个收入低微的小小村干部。很多年，我都无法逾越心理上的那种巨大落差。

父亲当上了村干部，比以前更忙了，陪我们的时间非常有限，他把全部的身心都扑在了工作上。从最艰难处起步，带领村民共同脱贫致富，过上扬眉吐气的日子，从建设小康楼、返迁楼，建设花园一样的居住环境，到精心谋划百年发展大业，父亲他就像一个旋转的陀螺，殚精竭虑，没日没夜。他事事追求完美，事事亲历亲为，怎能不累？每天晚上 12 点之前，他从来没有休息过，村里旧房改造拆迁期间，他干脆住进了村委会，24 小时连轴转，连饭都是母亲给送过去。

亲人看在眼里，疼在心上。我对他说："爸，你是机器人吗？就是机器人也得停下来充充电啊！"他总是呵呵一笑，大手一挥："放心吧闺女，你老爸身体棒着呢。"谁都没有想到，在人们眼里永远精力充沛、无所不能的"铁人"，真的有一天就累垮了。

无论多疲惫，父亲展示给他人的永远是阳光的一面。其实有一段时间，他患上了胆结石，严重的时候，手掌都是紫的，每次犯病都用书本或者手机顶着痛处，疼得大汗淋漓。有时晚上去医院输液，白天赶回来继续工作，从未对他人说起。母亲一直说陪他去北京看看，他却一直拖着，说挤不出时间，说等返迁房建完再说。2014 年 9 月，他的身体极度透支，病痛加重，彻夜难眠，有一次疼得受不了连着打了三针杜冷丁。去北京做手术，他瞒着同事，瞒着亲戚，瞒着乡邻，甚至为了不让我担心，居然瞒着我。

我是电话追问中得知后匆匆赶过去的。手术做了整整 5 个小时，等待极度煎熬，我趴在手术室外面的窗台上失声痛哭。

他从手术室出来的时候，还没有完全苏醒，脸色极度苍白。清醒后睁开眼睛看见我，微微一笑说："哭啥，傻丫头，爸没事。"后来妈妈告诉我，检查的时候医生都惊呆了，结石已经将胆管撑破。该有怎样超强的意志品质，才能忍受那种非常人可以忍受的剧痛啊？

手术后回家休养，父亲整整瘦了30斤，整个人都脱相了。病痛难忍时，在手术恢复阶段身体异常虚弱、精神极度脆弱的父亲，没有流过一滴眼泪，可是当他重新踏上归提寨这片土地的时候，他哭了。那是他在人世间我所见到的第一次也是唯一的一次哭泣。这片土地，有着他为之呕心沥血的事业，有着他心心系念的百姓，有着他没有完成的宏伟蓝图和美丽梦想，有着他万般疼爱、不能舍弃的父母双亲。

休养期间，我家几次召开家庭会议，一致的想法是这个村干部不干了，身体需要休养，不能再拼命了。我甚至撒娇地说："爸，村民需要你，这个家也需要你啊！"父亲点头似乎默许了。然而，对老百姓承诺的每句话都犹如板上钉钉般一诺千金的他，对家人，却再一次食言了。手术后的重创还没有完全休养好，他又重新回到了岗位上，回到了之前不知疲倦的忘我节奏，回到了没日没夜的工作状态。

弟弟长到15岁，这么多年，因为总是忙，父亲从来没有接送过弟弟上下学，从没去开过一次家长会，他在哪个班，班主任叫什么，他更是一问三不知。有一次老姑说："二哥，你儿子就要中考了，你知道吗？"父亲一脸惊诧和歉意："这么快，孩子都上初三了……"可是，他却知道村里每一个困难户的具体情况，谁家有啥难处，有啥纠纷，他更是了如指掌。

父亲生活极其简朴，他不抽烟，不喝酒，穿衣不穿名牌，吃饭不下饭店。家里一直用着多年前的老家具，他的卧室和办公室都没有安装空调，他说：“我是农民的孩子，当思一粥一饭来之不易。好钢要用在刀刃上,物尽其用才有意义。”对自己如此吝啬，对苦难者却慷慨解囊从不犹豫，他以大伯、叔叔、姑姑、我和弟弟的名义多次捐款，救助病者和最需要帮助的人，对村里的弱势群体，更是体恤照顾，细致入微，真正体现了什么叫铁汉柔情。他说，行善和行孝一样，不能等。

父亲是出了名的孝子，一天无论多忙多累，都要去看一眼爷爷奶奶，给奶奶擦手、洗脚、梳头。坐在奶奶床边陪她说话，看看窗户关没关，睡着的奶奶手是否压着了心脏。只要有时间，他就带爷爷去泡澡，有一次给爷爷刮胡子刮不干净，他愣是拿小剪刀一根一根剪下来。人老了爱回忆过去，爷爷特别爱给我们讲过去的事，每一次父亲都听得津津有味，有时候他还会主动提醒爷爷：“爸你讲讲，我爱听。”家里每个人都知道，那些事情爷爷不知道讲过多少遍，耳朵都磨出了茧子。但父亲对我们说：“我们小的时候问来问去，爷爷也从来不烦，真正孝顺不只是物质上的充足，而是让他精神上愉悦。”有一次，爷爷说起年轻的时候去过沈阳，那里还有一远房表亲，父亲便说：“今年国庆节我无论多忙一定抽空带您老去一趟沈阳……”然而，对爷爷的这个承诺，已经永远无法兑现。

父亲不在了，一直瞒着 85 岁的爷爷。跟他说父亲去国外进修了，要封闭式培训。奶奶患有小脑萎缩，活在自己的世界里，什么都不知道，但是爷爷并不傻，他一遍遍地问我老姑："你二哥到底有什么事，为什么就不能打一个电话？能不能让人带话让他回来一趟，看看我和你妈。"老姑强忍住眼泪，说："二哥不是一直计划给村里建养老院吗？这次就是去考察这个项目。"爷爷沉默良久说："嗯，那我可得好好活着，说不定能住上我二儿子建的养老院。"说着高兴的话，神色却有些黯然。10 月 13 日，父亲走后的第 72 天，身体一向硬朗的爷爷也突然离开了我们，带着太多的疑惑、猜想与压抑。

父亲离开后，我和母亲从他的手机里看到他写的文字："我在意人生价值，在意百姓的口碑，所以我凡事讲究公正、公平、公开。我极力传承清白家风，坚持清白做人，清白做事。""群众幸福是我的责任，群众满意是我的标准，群众需求是我的方向。""这片古老的土地，有了新的生机，蓬勃发展，一日千里……开拓者，将无愧于这个时代，无愧于人生，无愧于人民。"这些掷地有声、充满激情的语言，让我的眼里一次次涌满泪水。它们让我读懂父亲，读懂他的襟怀与抱负、责任与梦想，也懂得了他的有情和无情。

父亲脾气并不好，但从小到大对我没说过一句重话。那年家里有了弟弟，父亲担心我心里失落，郑重其事地把我叫到跟前，伸出五个手指说，大拇指是你，小拇指是弟弟，写字的时候，永远是大拇指更用力，作用更大。小小的我听懂了爸爸的表达，笑了。那是父亲与我唯一一次很正式的交流，我以为，这样深浓的爱会是永远，我甚至不止一次地想，等有一天他老了不工作了，我就开着我的小车，带着他和母亲四处旅游，把他对我们曾经承诺而没有实现的都补回来。

2015 年 8 月 2 号星期六，那天下午，我化妆打扮了一番准备出去约会，老爸看着我一直笑，然后说：“我女儿就是好看。”之后又突然说：“闺女你赶快结婚吧！”怎么都没有想到，这就是父亲对我说的最后两句话。也许，他的心里有太多的放不下吧。只是如今，他再也看不到他心爱的女儿穿上美丽的婚纱了。

那天晚上，我拉着弟弟赶到医院的时候，父亲正在抢救。我握着他冰凉的手，怎么都唤不醒他。但我一直以为，他只是太疼昏过去了，只是这一次，可能要睡得久一些。然而，这一次，我最亲爱的父亲，却再也没能醒来。

这段时间，有悲痛，有喧嚣，有梦里与父亲的默然相对，有他在书中与我的亲切对语。这些天里，我没有一刻不想他。他放在床头的书，他喝水的茶杯，网上下载的资料，设计的图纸……还都在那儿。我手机里那个熟悉的号码，一次又一次翻出来看看。我知道，那一方，已经永远无人接听了。

一个人的时候，泪水总会不由自主地流下来，但更多的时候，我不哭。因为我知道，父亲一定愿意看到我的坚强与担当。

送父亲走的那天，村里有上千人自发带着白花、举着挽联为他送行。一些七八十岁的老人都到父亲灵堂前行跪拜礼，老泪纵横，很多村民失声痛哭，有的喊着父亲的名字，有的撕心裂肺地质问上苍。这样的场面，让我的心灵震颤，让我深深明白了父亲十五年坚守的意义，让我在悲恸中勇敢地抬起头来……

那天，不知道遇到了什么难题，忙乱之中突然有人说：“赶紧给家琛打个电话。”之后大家都愣住了，都忍不住失声痛哭。

父亲走后，他的手机还陆续收到很多的短信。“二哥，你就这样走了……兄弟还有很多东西要向你学习。”“我们的好书记，你累了，到那个世界好好地休息，照顾好自己。”“家琛，我怎么也没想到，和你见面都成了难题，一路走好！”……发信人有他的领导，他的朋友，也有乡邻和不知道是谁的陌生人。

几天前的一个清晨，我听见院子里唰唰的扫地声，以为是母亲，走出去我发现，是村里的一个老奶奶。这些天里，每天都有人来家里帮着做饭，陪妈妈说话，去看望我年迈的奶奶，我想，这一切都跟父亲有关。如果是这样，我当勇敢前行，因为有他们在，我永远不孤单。

父亲啊，在各级领导和社会各界的肯定中，我读懂了您；在归提寨村父老乡亲的怀念中，我读懂了您；在心底不断放大的那些点点滴滴的回忆中，我读懂了您。这份懂得，很痛，但也很重。父亲啊，我知道，您已离开，却并未远行。请相信女儿，我会把您的精神传承，会把自己的责任担当，会乐观坚强地好好生活，因为，我是您杨家琛的女儿！

魂驻青山绿水

——追记秦皇岛市海港区西连峪村原党支部书记靖红利

吴永哲 宋柏松 容桂阳

初秋，一场大雨过后，西连峪村青山滴翠，硕果飘香。峡谷中一道溪水蜿蜒而下，山坡上的长廊结满串串葡萄，薰衣草花园里蝴蝶与花儿竞艳。三三两两的游客站在山顶上俯望秀美的村庄，遥望碧蓝的大海，踏访古长城遗迹……然而，西连峪村有一个人，却再也看不到这如诗如画的美景。

8 月底的一天，西连峪村委会主任付荣权带着村班子成员和几名村民，一大早来到北山已经挂果的葡萄长廊前，他们是来悼念一个人——“红利！我们哥儿几个没给你丢脸，你发展乡村旅游、致富父老乡亲的愿望就要实现了……”

大家悼念的逝者叫靖红利，西连峪村原党支部书记。2009 年初冬，他连续 40 多天带领村民修盘山路，累得脑干出血倒在工地上，年仅 45 岁。

“他是为村民过上好日子累倒的”

靖红利的妻子赵丽华依然清晰记得，那是 2009 年 11 月 8 日，天刚蒙蒙亮，来不及吃早饭的靖红利匆匆忙忙开着自家的面包车出了门，赶往村北盘山路施工工地。

靖红利和大家一起测路线、铲地基、清路面，中午 11 点半左右，他突然感到身体不适，对一旁的村委会主任付荣权说：“我脑瓜子迷糊。”说完，到面包车里，让付荣权快点找降压药。见靖红利服用后不见好转，付荣权马上拨打 120 急救电话。随后，靖红利被紧急送到市第一医院抢救，医生诊断为脑干出血。

下午 5 点半，靖红利永远停止了呼吸。

“他一心想着尽快带领村民致富，不顾自己患有高血压，每天上山带头修路。他是为村民过上好日子累倒的。”付荣权说。

西连峪村是秦皇岛市海港区东北部的一个小山村，远离市区、交通闭塞。全村 120 户，守着 800 亩薄田过日子。长期以来，村民主要靠种植果树和外出打工维持生计，人均收入在当时的海港区排名垫底，集体经济积累为零。

2008 年年底，刚刚当选村党支部书记的靖红利决心寻找一条带领村民尽快致富的路子。经过多次考察，征询村民意见，并经村“两委”班子商议，决定在村北山坡开辟一条观光路，开发 1500 亩荒山发展乡村旅游。

妻子赵丽华回忆说：“盘山公路施工那会儿，他每天早晨不到 7 点上工地，不仅要指挥机械施工，还要干体力活，又要跑来跑去盯着打井施工现场，常常忙到傍晚六七点钟才能回家，累得坐在沙发上就睡着了。”

村会计李国华说：“那阵子村里打井、修路赶在一起，靖红利就开着自家面包车，两个工地轮流跑。他常对我们说：‘咱村里穷，好不容易给大伙儿争取来的项目，可千万不能搞砸喽！’”

“我自己虽然富了，但村里没钱的百姓还很多”

1964 年出生的靖红利兄弟姐妹多，父亲早逝。生活的艰辛，激发了他比别人更强烈的创业致富愿望。他做过小买卖，办过养猪场，当过经纪人，包过工程，并第一个在全村开起小超市，买了面包车，成为村里数一数二的富裕户。

1992 年，时任村党支部书记的李炳生看中靖红利人品好，眼界宽，办法多，能吃苦，就动员他参选村委会主任，并将他选送到县委组织部培训班进修。当年年底，靖红利正式加入了党组织，并当选村委会主任。在这个岗位上，他一干就是 12 年。

自从当了村委会主任，靖红利便一门心思扑在工作上，一年数万元的进项不要了，家里的超市靠妻子一个人经营。为了帮助村民致富，1997 年，靖红利积极引导村民调整种植业结构，在村西建了 200 亩爱宕梨基地,每年每户村民净增收 5000 元。1999 年，靖红利又组织村民引种大樱桃等果树，并带领大家四处参观，自掏腰包买学习资料，帮大家提高种植技术。他常常开着自家面包车一趟趟往市里跑，多方筹措资金，找水利局、林业局争取项目，并带领村民打了 3 眼大口井，铺设了引水管线，安装了喷灌设备，解决了果园灌溉和果园管理技术难题。

2008 年，村里即将退休的老支书找到他，希望他重新挑起重担，带领村民致富。“我就是想为村里办点实事，让大伙儿尽快富起来。”“我自己虽然富了，但村里没钱的百姓还很多。”私下里靖红利跟村会计李国华唠嗑时透露了心声。

2008 年 12 月，靖红利高票当选村党支部书记。

望着仅一山之隔，乡村游搞得红红火火的望峪山庄和蟠桃峪，靖红利将目光投向了村里的荒山。西连峪村虽然偏僻，但它是海港区唯一有山有水的村庄；山虽不高，但站在山顶可眺望大海，遍览港城景色。更难得的是，山上还有北齐长城、闯王洞等珍贵的历史遗迹。“靠山吃山，靠水吃水，祖辈留下的遗产不能这么一直荒下去。”靖红利想。很快，“开发旅游资源，发展集观光、采摘、农事体验和农家饭为一体的乡村旅游业，带动村民致富”的发展新思路形成了。

为开阔视野，增强大家对发展乡村游的信心，靖红利从自家拿了 3500 元垫付考察费，带领 7 名村干部和村民代表，驾车赴卢龙县鲍子沟参观学习。回村后他便马不停蹄往返奔波于区、镇各相关部门，写报告、做规划、跑立项，筹划修建盘山路。

没钱，大家垫资。靖红利带头垫资 2 万元，村班子其他成员和村民纷纷响应，很快凑齐了 10 万元启动资金。因修路需要占用本村 10 户村民和邻村两户村民的土地，村里决定分别给予合理补偿，靖红利还一趟趟往村民家中跑，最终征得了村民的同意。2009 年 9 月 25 日，伴随着隆隆轰鸣声，推土机和挖掘机开上了山。

为了修筑这条长 3500 米、宽 4 米的旅游路，靖红利一天到晚守在工地上，带领村民们出义务工，虽时值初冬，但大家的热情不减。因为他们知道，这是一条致富之路、希望之路。

“谁心里装着百姓，百姓就在心里为他立碑”

老百姓心中有杆秤。谁心里装着百姓，百姓就在心里为他立碑。谁真心实意为百姓谋福祉，百姓就会永远怀念他。“从他家买的仔猪到我家后冻死了，他知道后愣是没收一分钱。”“他组织大伙引水上山，种果树，现在我家每年光卖大樱桃就净赚3万多元。”“他总是乐呵呵的，从没看他和谁红过脸，就是看到村民要上山砍树，急红了眼的他也是和颜悦色地劝阻。”“红利就是咱们的亲人，遇到困难时倾力相助的人。”

说起靖红利的好，村民们流着泪，哽咽着。

2009年11月一天晚上，村民李宝成的儿媳妇难产，村里距最近的柳江医院还有10公里的路程，一家人急得团团转。靖红利闻讯后马上开车过去把孕妇送到柳江医院，因抢救及时，母子平安。

村民李新华建房时因钱不够找到靖红利，他二话不说借给了他；靖红利是村里最先买三马车、摩托车和汽车的，乡亲们有事打个电话，即使深更半夜，他也毫不推辞，从未收取过任何费用，从未在村里报销过电话费、修车费和汽油费；村民冯丽霞患有糖尿病，要经常上医院检查，靖红利总是义务接送，甚至多次在医院楼道里把她背上背下；多年来，他一直照顾村里的一位孤寡老人，直到老人去世；好多村民爱扭大秧歌，每年正月里他都会拿出1000多元为村民请来乐队，为大伙助兴……

在妻子赵丽华的眼里，丈夫是个顾“大家”，却很少顾“小家”的人。丈夫没有不良嗜好，平时生活十分节俭，从不乱花一分钱，但对村民总是力所能及提供帮助。至今村里还欠他家近4万元钱。

靖红利离去了。对于他未竟的事业，村民们产生了分歧，有的打起了“退堂鼓”：“工程刚开始，领头人没了，发展旅游的愿望八成要落空了。”就在节骨眼上，村委会主任付荣权挺身站了出来：“靖书记没实现的愿望，我们一定要替他实现。我们要接过靖书记传下来的接力棒，一任一任干下去！”

就在靖红利去世后的第5天，村民们都自发地带着工具上山继续修路。

靖红利的感人事迹引起了广泛关注。海港区委、区政府决定将西连峪旅游开发纳入圆明山文化旅游产业聚集区整体规划，结合农村环境面貌改造提升，着力加强村居环境和旅游配套基础设施建设。

如今，盘山公路全部贯通，公路两侧建起了葡萄长廊。660级登山台阶直达山顶，4座蓄水池为山间果园提供灌溉，千亩山野采摘园硕果累累，千亩薰衣草园初具规模。村委会盖起了2400平方米的村民中心，村头广场立起了太阳能路灯，大街小巷全部铺上了水泥路，昔日满布垃圾的小溪变成了清流潺潺、花红柳绿的景观河……

周保军与毛四灵

海　津

湖南省安化县的苏溪村，是一个偏僻的小山村。毛四灵四岁时，父亲身患癌症不幸去世，母亲南正文广东打工，又因车祸死去了。父母双亡，前后只有 12 天。四灵和年迈的爷爷奶奶艰难地度日，谁见了都觉得心酸。

后来，毛四灵幸运地遇到了周保军。

那是 1992 年，毛四灵一家的悲惨境况被逐级上报到中国青少年发展基金会。当时，正在东北牡丹江某部队服役的战士周保军在《中国青年报》上看到了那则公益广告：每学期资助 20 元钱，就可以帮助一个孩子念完小学。周保军也是从贫困的小山村里走出来的，他仿佛看到了那些上不起学的孩子们那一双双充满渴望的眼睛。他心动了。他给中国青少年发展基金会写了信——尽管他自己每月只有 27 块钱的津贴费，父母也还生活在贫困线以下。

从此，周保军牢牢地记住了毛四灵这个名字，他一次次地在汇款单上填好那个熟悉的地址。

1992 年年底，周保军退役回到原籍秦皇岛市青龙满族自治县。

为了生活，周保军来到秦皇岛海港区，加入了打工者的行列。但是无论走到哪里，他都没有忘记对毛四灵的资助。在毛四灵幼小的心中，也深深地记住了她的保军哥哥。

周保军一直默默地在关心支持着一个素不相识的孩子，无论在精神上、物质上，使她艰难地上到了初中。

但是，毛四灵并不知道，在一家鞋厂干着最累最苦的活计的保军哥，日子过得有多么艰难。1999 年 11 月 1 日，周保军在写给《秦皇岛日报》的信中介绍了他资助毛四灵的经过，也道出了他的窘境。他写道："记者朋友，在当今社会什么都商品化的情况下，随着这个孩子一天天地长大，年级一年一年地升高，光靠我一个人微不足道的资助不行了。我打工一个月只有 300 多块钱，现在厂子不景气，连 300 块钱也开不上了。我家很穷，现在债务累累。我都 29 岁了，在农村算大龄青年了。为给我娶媳妇，今年我父亲拉了 1 万多块钱的外债给我翻盖了房，下月结婚又得花一笔。学校早就开学了，可我还拖欠着四灵的学费，作为共产党员的我深感内疚。"

这名无可奈何的打工者，这位最普通的共产党员，为了别人，不得不向社会求助："记者朋友，这就是我求助您的原因，求您帮助我找到一个可靠而且有爱心、诚心、不求名利的好心人，协助我共同把这个孩子培养起来，说不定她就是一个国家栋梁。""七八年来我还从未见过她的面，能与她相见也是我最大的心愿。"

周保军的信在报社引起高度重视，《秦皇岛晚报》刊发了《八载牵心为孤女——一封催人泪下的来信引出的动人故事》的报道。

社会上反响强烈，读者纷纷打电话或直接到报社，要帮助周保军，资助毛四灵。

1999 年 11 月 12 日，在秦皇岛市委宣传部和报社等新闻单位的帮助下，周保军终于踏上了通往湖南苏溪村的路。

在距苏溪村 20 公里的一家杂货店门前，汽车停了下来，这是毛四灵的表姐家，周保军终于在这里见到了已经放学的毛四灵。一个清秀的女孩从里间被喊了出来。这就是四灵吗？这就是他在心里多少次叫习惯了的毛四儿吗？八年了，如今真的站在了面前，周保军抑制着激动的心情问："你知道我是谁吗？"毛四灵愣了一个，试探着小声说："你是保军哥？"对面的哥哥已是满眼泪水，四灵"哇"的一声哭起来，一头扑进周保军的怀里。

这天，是毛四灵最高兴的一天，她的难上露出了难得的笑容，她拉着保军哥的手，给她的保军哥唱歌，说着许许多多的心里话，她说保军哥一定生活得很苦，因为保军哥的手很粗。这天，毛四灵跟保军哥有生以来第一次走进了饭店，她的日子过得太苦了，上学每天走两小时的山路，只有四毛钱的生活费，但她是个要强的孩子，她是班里的三好学生。

周保军终于走进了苏溪村，走进了毛四灵家已经 30 多年的老房子。面对周保军，一头凌乱的白发、满脸沧桑的老奶奶，浑浊的目光中透着惊讶，接着便"哇"的一声哭开了，颤抖着双腿就要往下跪，被周保军一把搀住，一家人抱头痛哭。

村里的乡亲们都来看周保军，他们说：周保军就像雷锋一样，心真是太好了。

毛四灵更是忙里忙外，她亲手给保军哥炒了菠菜，她说她不会炒肉菜。周保国拿出了他临来时借的 200 元钱，他说四灵妹妹是大姑娘了，要让她穿得漂漂亮亮的。还有，秦皇岛的叔叔阿姨还给四灵带来了 1300 元书本费。

相聚总是太短暂，周保军就要告别了。他们走出苏溪村，毛四灵一直拉着哥哥的手，一直在哭，哥哥也哭，他们走过那条长长的石阶，走过那道古老的石桥。

汽车终于远去了，但他们的心，他们的情，却紧连在一起。

爱并不是“一点点”

黄　束

他看不到这个世界，却以一种独特的方式，让人们认识了他。他叫袁通，是一位盲人心理咨询师。

他的电话是热线，每天通过这个窗口为别人免费解除心灵的困惑。他曾从秦皇岛出发，两次徒步西藏，用心感受最美的风景，数次与死神擦肩而过。他经济拮据，住在廉租房里，靠低保金维持生活，但汶川地震后，他却慷慨地捐款10万元。作为秦皇岛首届“慈善人物”，在各种公益活动中，袁通一次次留下捐款，然后悄然离开。如果非要留下姓名，他会脱口而出:“我叫一点爱”。

看不清脚下的路，却为迷途者“指路”

咨询是公益的，遇到咨询者没吃饭，他还掏钱给其买点吃的；遇到身体不太好的，他便买点药。而他自己，反而舍不得吃，舍不得穿。

相约见面的地点是海港区红桥鑫居的一间公寓，也是袁通心理咨询工作室所在地。刚一坐定，他的手机就响了，是个心结打不开的求助人，手机刚放下，咨询热线电话又响起来。“每天最少 60 多个电话，最多一天 100 多个。也许在常人看来，无非是些鸡毛蒜皮的小事，但对求助者来都说是大事。有时凌晨一两点钟也会接到电话，作为心理咨询师，我很理解他们的心情。心里有话不愿跟父母讲，怕父母担心；不愿跟朋友讲，怕朋友笑话。”

2002 年，袁通在广播中听到一个消息：全世界平均每 28 分钟就有一个人自杀。这个消息让他很震惊。“人的心理世界很复杂，也很神秘，有的人走极端，甚至轻生，是因为内心积郁了太多负面的情绪和消极的暗示，没有得到及时的释放和宣泄。我愿意做一个倾听者，帮他们打开心结。”袁通一直没有间断过学习，还考取了国家三级心理咨询师。“作为一个残疾人，我很理解那些生活中遭遇挫折的人，在迷茫、彷徨的时刻，最希望有人倾听，指点迷津……”谈到几年前开通免费咨询电话的初衷，袁通这样说。

每天，他接到各种各样的电话，有关于孩子成长的，有关于成人心理的；有关于爱情的，关于婚姻的，甚至还有关于投资的，他都是倾尽自己所能耐心解答。在各种咨询中，婚恋问题最多。一次，袁通接到一个男子打来的电话，说妻子不忠，面临着婚变。但他不愿接受这个现实，接下来只有两种可能：一个是杀人，一个是自杀。

“我和他通话有七八次，有时在半夜，有时在凌晨，经常是他声泪俱下地哭诉，开始我就做一个倾听者，待他情绪稍稍安稳些，我便劝慰他，告诉他可以有更好的选择……现在我们成了很好的朋友，再婚之后他生活得很幸福。”袁通说，这样的例子很多。

“袁老师，你快来！我儿子要自杀，谁劝都不听！”打电话的是家住海港区北港镇的一位心焦如焚的母亲。当时是半夜1点多，袁通赶紧给他最好的哥们打电话，让其开车带他赶往现场。原来是家长把学习不努力的孩子狠狠教训了一顿，本来压力巨大的孩子，情绪突然失控，进而发生过激行为。凌晨4点，在袁通的劝说下，孩子渐渐安静下来。

“别看他眼睛看不见，但他心里是一个特别亮堂的人。他就像个‘垃圾桶’，输入很多的哀怨与忧伤，输出来的时候，就成了开心、快乐。”好哥们儿王法萌这样形容他。他说，不但咨询者向他倾诉，就是哥们儿有不痛快的事也都愿意跟他说。多年来的心灵守候，他获得了最珍贵的财富——朋友的友谊和求助者的信任。

历尽艰辛徒步西藏，用心看到绝美风景

“西藏太神奇太迷人。”袁通的“玩命儿之旅”，是用心来体会的。他的远足梦很早就有，作为心理咨询师，也需要不断放下，所以这也是静心之旅。

对于双目失明的人来说,做“驴友”是超乎一般人想象的事情。徒步西藏，更令人不可思议。但袁通不仅徒步西藏，而且是两次。从秦皇岛出发，途经七省两市，走到西藏拉萨，行程加起来超过17000千里，光鞋子就穿坏了10多双……

2006年6月22日，这一天袁通永远不会忘记，因为这一天，他和从小就要好的绥中老乡顾祥冬准备好行装，辞别亲友，从海港区出发，开始向西藏进发。

“天空全是白羽毛般的浮云，像大鸟丰满的翅膀，令人陶醉。绿草丛中点缀着黄的、紫的、粉红色的小野花，煞是可爱……”“徒步行走几个月了，路越走越远，地越走越高，水越来越绿，云越来越轻，而我们越来越黑。”在袁通的日记里，这样充满诗情画意的片断并不多见，更多的是经历的风雨和艰险。在内蒙古一带，他们喝过草梗水、带着浓重羊毛味的水；遭遇过蛇，夜晚听过藏狼的叫声，还险些被棕熊洗劫……虽然带着草帽、口罩、墨镜，穿着长衫，但脸上的皮还是被暴晒得一层层脱落，脚上的泡儿近化脓……第一次徒步去西藏，袁通与朋友顾祥冬走了整整四个月。一路上，烈日、狂风、暴雨、冰雹、沙尘暴、雪粒轮番袭击，泥石流、高原缺氧威胁着生命，数次与死神擦肩而过。10 月 22 日，终于抵达拉萨。

2007 年 4 月 28 日，他们第二次徒步远征，这回又多了一位同伴——绰号“仙人掌”的户外运动资深教练赵志强。他们的行囊中增加了帐篷、防潮垫、水壶、药品、头灯等野外生存用品。这一次，每天不管多累，袁通都坚持写完日记再睡觉。在黑暗中，他用锥子扎那些只有自己才认识的小点点，记录着行程中的所见所闻——他们遭遇了 52 场雨、6 次雨夹雪，遭遇过歹徒的打劫；在缺氧的唐古拉山，9 次冰雹加冰粒从天而降，大雹如鸡蛋，无处可逃的他们险些丧命。8 月的柴达木盆地热得像蒸笼，令人窒息。为躲避热浪的袭击，有一天他们凌晨 3 点出发，20 个小时走了 126 里。有一天误入无人区，他们咬着牙竟走了 184 里。严重的缺氧令人呼吸困难，头痛欲裂……

在长江的正源沱沱河，他们巧遇从南京开豪华房车进藏的四位摄影发烧友。当他们得知袁通和伙伴背着行囊已徒步行走了 115 天时，全都惊呆了。当即邀请他们上车同行，可袁通谢绝了他们的好意，坚持要徒步完成全程。

9月7日，他们胜利抵达拉萨。在拉萨，自然的气息让袁通感到灵魂无比澄澈。虽然他看不到金碧辉煌、雄伟壮丽的布达拉宫，但心中满是神圣，激动得流下了热泪。

因为感恩送温暖，公益路上他走了很远

袁通出生在贫穷的农民家庭，从小患有先天性青光眼，父母变卖家底带着他去北京做了手术，可是仅仅保住了眼球，没有任何光感。但袁通没有向坎坷的命运屈服，以顽强的毅力自学盲文，后又自学了心理学。1993年，他只身一人从绥中来到秦皇岛，把这个城市当成了他的第二故乡。

2003年“非典”期间，他坐着公交车前往血站献血；2005年，他向捐建“母亲水窖”行动捐款2000元；2007年，秦皇岛市红十字会征集造血干细胞志愿者，他前往参加；2008年汶川地震，他捐款10万元……2009年，他资助花厂峪小学一名学生。得知孩子每天从家里背水喝，他联系秦皇岛纪辉整形美容医院，为师生捐款3000元，打了一眼井。

为什么取名“一点爱”？袁通解释说：“我很喜欢‘雪中送炭’这个词，尽管我这点炭很有限，只是一点点，但只要人人都献出一点爱，这个世界一定是美好的人间。”很多人不理解，身为盲人，自己的生活并不富裕，为什么要把全家一辈子攒的钱都捐了？“这个社会给予我太多：廉租房、低保金、免费乘坐公交车……我无以回报，只能献出‘一点爱’。”

“我个人的力量很有限。我的原则是自己能帮就帮，帮不了就呼吁周围有能力的朋友一起帮。”在他的感召下，他的很多朋友也都走上了公益之路。雅安地震，袁通在朋友的陪伴下于第一时间前往震区。整整 5 天，他白天在现场做心理辅导，晚上在自带的帐篷里与失去亲人的家庭交流。现场有记者得知这位来自秦皇岛的盲人千里迢迢来震区做公益，要采访他，被他谢绝了。但宁夏卫视悄悄记录了这一切。离开雅安时，他把随身带的钱全捐了，剩的只够回来的路费。

袁通虽然看不见这个世界，但他把爱、阳光和梦想种进心里，用心去生活和回报。现在袁通是秦皇岛市盲协副主席、海港区盲协主席、秦皇岛第十二届政协委员。他还当选了“首届秦皇岛十佳慈善人物”“第三届秦皇岛市道德模范”“秦皇岛市十大志愿服务标兵”。

幸福是热爱的别名

——记海阳镇二村李秋玲的“幸福故事”

刘萌萌

一

冬天的早晨，什么都如此寻常：天气晴朗，冷空气才过，头顶上现出难得的蓝。伴随寒凛的空气，深入肺腑的，还夹杂一丝纯美的甘凉。2015 年 1 月的海阳路，车流，人群，商场拐角一隅。夹杂地域性口音的叫卖声，杂沓的脚步，混合凌乱的风息、尘埃。温吞的日光的鹅黄，小心翼翼地晕染、涂抹，终于沐浴这一切，铺陈出时光里的慢镜头。这是时间的片断，也是日日重复的经验。我想起那个面目模糊的女人，也许，她时常经过这里，像街市上惯见的主妇们那样，匆忙而笃定地，打点着一个家庭的日常之需。从菜篮到衣橱，从孩子到老人，从清晨到日暮，都是她必做的功课。她的身影隐没在街道的某个拐角，消失在熙来攘往的人流里，就像一滴水，融入大海，迅疾而悄无声息。这样的生活未尝不是惯见的，庸常的，很多时候，乏味得让我们感到些许倦怠。可是，我即将见到的这个普通女人，就是在这般琐碎、平庸的日常生活中浮出人海，逐渐进入公众的视野——就是她，将这种波澜不惊的朴实生活定义为——幸福。

“李秋玲，女，49 岁。秦皇岛市海港区海阳镇二村村民。”纸上的介绍准确、简洁，但未免指向混沌、虚空。这份规整的文字材料表明，我的采访对象是一个过着普通生活的不那么普通的女性——仅凭双手，她不但支撑起一个有着 400 余平方米厂房的机修厂，还打理出一个幸福的家庭……

在“奇驰机械制造有限公司”的后院，我们见到了李大姐的家。三间平房，比较起前面高大的厂房，显得低矮、单薄。李大姐推开门，把我们带入她的卧房兼会客室——一张床，一台电脑，一张电脑椅，再无其他。隔壁的厨房里，几位姑姐忙着张罗包饺子，李姐推开门，扯起喉咙喊了一声：“多包点，家里来客啦！”那边厢，回应得更是爽快：“放心，我手艺好着呢！”李秋玲大姐笑，“看，我们家多热闹，有意思着呢！”作为“幸福家庭”的女主角，这般亲切的生活场景倒应和上我先前的想象。室内，温暖、明媚的阳光穿窗而入。窗外偶尔走过李大姐的家人，街坊熟人，还有她手下那些亲人般朝夕相处的工人。李大姐时而向窗外这些身影投去静默的微笑。就像一棵树，热爱它脚下的泥土与身边细琐的事物，那么自然而然。我们的谈话，就在这里开始。

二

出生于 20 世纪 60 年代中期的李秋玲，和很多同龄人一样，生长于经济收入不够宽裕的家庭。

李秋玲 16 岁那年，父亲辗转托人在镇直社办工厂给她找了一份工作，学车工。车工是技术工种，在困苦生活的磨砺中成长起来的李秋玲很乐意习得一门手艺，替父亲分担家庭的重担。可现实远不像这对父女想象的那样简单。那时候，车工是紧俏活儿。谁不知道手艺重要？那极可能是把持终生的饭碗。因此，当李秋玲进入工厂的时候，厂里以不缺车工为由，将她分配去打杂，做零活。不管做什么，李秋玲想的都是把它做好，不能失了做人的脸面。

李秋玲年纪小，却乖巧懂事。每天，她第一个来到车间，把师傅们换下的脏套袖清洗干净，再整整齐齐晾晒出去。工作间隙，围着师傅们跑前跑后、嘘寒问暖。师傅们无不称赞她的勤快。这时候的她，表现出十足的女孩特有的细致、体贴。可是，在车床上，她就完全变成另一个人——不怕脏，不怕累，比男孩子还经得住磕打。同时，虚心向师傅们请教，看图纸，一遍不懂就二遍三遍地问师傅，别人都下班了，她还着了魔似的杵在那里研磨，别人用来吃午饭、休息的时间，李秋玲也用来钻研图纸。这一切，都被师傅们看在眼里，也疼在心里。师傅们都把这个有着一股子愣劲的姑娘亲切地称作“假小子”，对于这些不见外的师傅们，李秋玲都一一爽快地答应着——假小子怎么啦？挺好。说明我能干啊！在一沓老照片上，年轻的李秋玲头顶安全帽，脸上手上黑乎乎一片片油渍，站在心爱的机床旁，咧着嘴笑得无比开怀。这一刻，她像极了春天里的杨树苗，顶着蓬勃的枝叶，憋足了劲猛蹿。

李秋玲最美好的青春岁月，差不多都交付给了车床。

三

二十多年前的旧事，说起来，真切得像是昨天才发生过。那一天，阳光很好。李秋玲去加工零件。接活的，是一位年轻的小伙子。李秋玲一眼望过去,只觉得眼前被晃了一下:小伙子英俊啊。一向老实能干的李秋玲,电光石火间,突然就通了爱情的“窍”。就在小伙子低头专心干活的瞬间,李秋玲的心里就拨起了爱情的“小九九”。想了解他并不难,李秋玲的三妹就在这家厂子里当会计。打定主意的李秋玲跑到三妹那里盘问底里。三妹劈头大叫:“你说杨光啊?谁会给他做老婆?家里穷得揭不开锅!”李秋玲心里一阵狂喜。“穷点就穷点呗。用老人的话说,穷不扎根富不长苗,怕啥?”三妹遵照二姐的吩咐,去问了那名叫杨光的小伙子。回话说,我说着了吧?单身汉一个,家里穷得很……但李秋玲又给三妹下了第二个命令:去,问问他,想不想处对象?如果他愿意,你就说把我介绍给他。

没几天,三妹告诉二姐说:“我问了,人家说还没打算考虑这事儿。剩下的,你自己看着办吧。”李秋玲心想,只要他还单身,什么都不是问题。那天一大早,这个行动利索的“假小子”跨上自行车,直奔杨光干活的地方去。一路上,阳光、树影、街道上的人群,这一切都在她眼前消失了。风风火火赶到那里,才发现英俊的小伙儿不在!有人说,杨光表哥家里今天盖房子,他去帮忙了。李秋玲扑了个空。但对于假小子李秋玲来说,没有什么是办不到的。没过两天,李秋玲骑着自行车再次赶到杨光那里,小伙子正在埋头干活。李秋玲乐呵呵地问:“你叫啥名?”人家头也不抬:“杨光。”“多大啦?”“二十二。”还是不抬头。“你想处对象吗?”“暂时不考虑。”“要不,咱们俩处处,咋样?”对方这回猛然抬起头,露出一口白牙,看着眼前这个直率的姑娘,笑了。

就这样,两个人开始正式交往。假小子李秋玲再次用事实证明，只要用心，没啥是不能争取到的，包括天赐般的爱情。

四

李秋玲如愿嫁给了杨光。婚后与公婆生活在一起，生活虽然苦了点，一家人其乐融融，一年半以后，宝宝出生了，给这个平静温馨的小家庭增添了更多的快乐。好景不长，一家人刚刚品尝到生活的甜蜜，李秋玲的父亲脑出血去世。对于李秋玲而言，这是至为沉痛的一击。母亲早早去世，二十几年的生活，李秋玲与父亲的感情无比深厚。那些日子里，李秋玲不吃不喝，挣扎在失去父亲的巨大痛苦中。这时候，是这个家庭的成员们，从丈夫杨光，到将这个儿媳视若己出的公婆，甚至三个大姑姐都赶来劝慰，他们对她说：“别难过，你还有我们这一家子亲人呢。”亲切的话语让李秋玲深切感受到新家庭带给她的温暖。在家人的安抚下，李秋玲走出痛苦的阴影，振作精神，继续她幸福的家庭生活。然而，上天似乎有意考验她。生活平静不过一年，婆婆患上了脑血栓，瘫在床上，吃喝拉撒都在床上，人也失去意识。这时候，孩子正小，完全需要专人照料，另一边，失去意识的婆母更是神智混沌，脆弱如婴孩。家人里各自忙得团团转，丈夫要赚钱，李秋玲也要外出挣钱补贴家用。家里这一老一小，着实愁煞人。三个大姑姐离得远，何况大家各有家庭，实在没有多少余力帮助李秋玲；大伯哥又有一个精神失常的媳妇，他们都不能照顾老人。于是，这么一大摊子乱纷纷的家庭事务，全落到李秋玲一个人身上。面对常人难以想象的困难，李秋玲没有低头。多年困苦生活的磨炼，她早已养成不轻易服输的性格。她找到幼儿园园长，百般恳求，园长终于收下了这个完全不到入园年龄的孩子。白天，李秋玲去单位上班，下班后，匆匆忙忙去幼儿园接上孩子，回到家里，一头扎进厨房做饭，饭菜做好后，来不及歇息，又要给瘫在床上的婆婆洗洗涮涮……看着婆婆不知世事的迷茫眼神，李秋玲有时候真想哭出来。有一天，小家伙突然病了，发烧。李秋玲一个人手忙脚乱地把儿子送到医院。要输液，孩子太小，血管又不好找，惊恐的孩子大声啼哭。守在医院看护孩子输液的李秋玲，想到家里的婆婆没有人照顾，饭还来不及做……乱成一团的她不由放声大哭。李秋玲说，这一辈子，那是她第一次也是唯一的一次，动了轻生的念头……

说到那段艰难时日，李秋玲的眼泪再一次扑簌簌落下来。幸好，李秋玲终于顽强地坚持过来。一晃，到了现在。“不敢想，真不敢想。”李秋玲连连摇着头，看向窗外。对面，是热火朝天工作的工厂厂房、三三两两经过的人影。此时此刻，一切看起来都那么安谧、宁和。

五

1999年，李秋玲夫妇再次面对人生的转折。这时候，李秋玲所在工厂企业改制，工人们可以留下，继续在厂里做工，也可以买断工龄。李秋玲已经当了多年的车间主任，但几经考虑之后，她毅然选择了买断。这意味着，家庭的经济收入在短时期内必将受到影响。孩子一天比一天长大，日常居家，什么不需要用钱买？总不能坐吃山空吧。听说北京工薪高，李秋玲的丈夫离家去北京打工。

家中的李秋玲也想办法赚钱。她一直想做的，就是开一家自己的机械厂。那年秋天，她开始走街串巷，一点一点去寻访那些价格低廉正在待售的旧机床。很幸运，一段时间下来，竟然给她寻摸到一台旧铣床。李秋玲花了近4000块钱把它买了下来。回到家里，李秋玲像得了宝贝一般，整整三天时间，她都围着这台铣床转悠，给它上油，一遍又一遍地擦洗，看起来还真像那么回事了。起初,从北京回家的丈夫看到这台旧铣床,不由埋怨起妻子：花几千块钱买来这么个旧玩意儿有什么用？碍手碍脚！不久，有人打听到李秋玲家里收购来这样一台旧铣床，上门看了看，来人打算买下，竟给开出了9000块钱的价格。这让李秋玲夫妇大喜过望。没多久，还是同样的方式，李秋玲东走西串，恨不得把整个秦皇岛市翻个底朝天,又拥有了钻床、镗床。就这样,拼拼凑凑,虽然不成规模，主要机器也算是凑齐全了。就在她家的老院子里，李秋玲开始断断续续接一些零活儿。比如，给人家做一个马车上的零件什么的，就是这样的小活，让这个昔日的车工感受到重返岗位的喜悦。

生活从来都不是一帆风顺。李秋玲的人生，就像大海上一叶颠簸的小舟，一波波的惊涛骇浪中，迎来送往。那一年，家里来了一个客户，这个男子带来一卷图纸，问李秋玲能不能照着图纸加工出这些零件。有着多年经验和过硬技术的李秋玲格外开心，说没问题啊。最后，双方敲定好交货日期，价格定为7000元，到时候，一手交钱，一手交货。那段时间，李秋玲为了方便干活，决定将家里厢房打通。就在施工过程中，李秋玲腿上忽然生疮，下地行走都要拄着拐杖，更不要说在车床上干活了。这时候，已经到了交工的时候,还差一个细部的小零件。于是,李秋玲打电话，通知那位先生前来将已完成的零件取走。如约上门的男子看到有一个小部件还没有完成，竟然一批货全都不要了，分文未付，转身一走了之。李秋玲只好再度打电话，这时候，对方电话已经不通。一番辛苦劳作，钱却未能挣得半文。这件事给李秋玲夫妇造成经济损失的同时，精神上也带给他们不小的烦恼。但这仅仅是一个小插曲。李秋玲生病住院，丈夫每天骑着摩托车往返在家庭与医院之间，给妻子送饭。那天黄昏，丈夫带着一罐炖鸡风驰电掣地给妻子送去。就在路上，一辆三马车突然一只轮胎爆胎，猛然停下来。天黑，丈夫没有发现前面的状况，摩托车狠狠地撞了上去……

无疑，这是一段黯淡的日子。那段时间，夫妻两个下床走动，一人拄着一根拐杖。就像我们后来知道的，这对夫妻挨过这段困境，在那几样简陋的“家当”中继续经营他们的“生意”。几年下来，生意越来越好。后来，他们干脆和村里商量，租下一块地，建立厂房。这些年来，从家庭手工作坊式的生产到建立400余平方米颇具规模的工厂，从无名到起初的“阳光机修厂”再到“秦皇岛奇驰机械制造有限公司”，这一路甘苦，个中滋味，怕是只有这对患难夫妻才能体会。

六

作为幸福家庭的“半边天”，李秋玲以及她的家人的幸福毋庸置疑。

那个美好的上午，我见到了李秋玲整整一家子人，包括她的三个大姑姐，特别是，她家中那位耳不聋眼不花的“老寿星”——87岁的老公爹。在我们面前，一向开朗幽默的老人家竟然落下眼泪。对于儿媳妇，这位尽人皆知的女能人，老人只有一句话：亲闺女一样……

这些年来，这位亲闺女一样的儿媳妇，对于家中这位唯一的老人,照顾得无微不至,三个大姑姐交口称赞。公爹没有别的爱好，喜欢喝点酒，吃点肉。随着季节变化，李秋玲夏天准备啤酒，冬天准备白酒,家里预备着整箱的红烧肉罐头。对于家中这块“宝”，李秋玲想着法子哄老人家开心。李秋玲爱好唱歌跳舞，参加村里的舞蹈队，自己买个小音箱，那几日天天背上它在院子里学跳舞。公爹看到后，慢悠悠地说 :“光你乐呀，给我也买一个。”李秋玲当即从网上花了 57 块钱买了一个小录音机，里面储存 3000 多首歌曲，有京剧、评剧也有相声，老人家别提多高兴了。这些年，看着身边人到外面烧香拜佛祈福，李秋玲不屑地说，跑那么老远的路烧香拜佛，到底为什么？家家都有老人，要我看，老人就是我们家里的一尊佛，离我们最近的佛。把这尊佛供奉好了，不就是福嘛！李秋玲文化程度不高，却说出了让很多人足以汗颜的道理。

李秋玲大姐带我们去她从前的老院子看看。距离不远，经过一条小河，一座短桥。虽是冬天，因为气温不够低，河水还在涔涔流淌。黑色的土地，似乎泛着春天的气息。道路两旁的树木让人嗅到空气里木质的清香。遇到熟人，李大姐都要停下来，亲切地打着招呼。那天，在海阳镇二村，在海阳镇二村的街道，我感受到的，是生活本原的气息——朴实，也亲切。事实是，生活并没有我们想象的那样复杂，幸福也并非遥不可及。关于这一点，我想，那天一直陪伴在我们身边的李秋玲大姐更有体会，也更有发言权。如果说，今天的李秋玲大姐美好幸福的生活着实让人羡慕，那么，这幸福完全源自于她的一腔热爱——在人生的每个关键阶段，她都没有放弃对于生命，以及周围的人、事、物的热爱——端出最为美好的态度与执着的热情——做最好的人，做最好的事。我相信，幸福，是热爱的别名。

相亲相爱一家人

李　蔷

光光的头，小小的眯缝眼儿，身材短小强壮，笑声里透露着真诚——现年 43 岁的顾峰，是中国银行秦皇岛分行的一名普通员工，他自认格外富有：在秦皇岛海港区自己有个“小家”，哈尔滨还有个“大家”；他的儿子顾谭晨目前就读于黑龙江大学，除了这个儿子外，自己还有分布在全国各地的 38 个儿女，大家庭和众多儿女的亲情，给顾峰带来了莫大的满足。

就是这个其貌不扬的老顾，去年年底在人民大会堂接受中国扶贫基金会的表彰，新长城项目十周年纪念表彰活动在全国评选了 10 名“新长城教育扶贫突出贡献奖”，顾峰就是其中之一。中国扶贫基金会公众捐赠部捐赠服务主管赵阳女士这样评价顾峰：他的行为已经超越了捐资助学本身，他用真情为孩子们建造出真正意义的“家”，通过一个孩子，帮扶一个家庭，顾峰通过这些孩子，又传递出无限爱心，他帮助贫困学生建立起来了自信、责任和担当。

缘结黑大："顾爸"和他的儿女们

那是一个冬天，顾峰像平常一样坐在驶向北方的列车上，对面是一个二十出头的小伙子，交谈中，他得知这个年轻人是一名在校大学生，因为家境贫寒，只能利用假期外出打工赚学费。无忧无虑的年纪，本该在大学校园专心学习，而贫困却让这位小伙子过早地体验了人世的艰辛，顾峰听罢有些心疼。自己因为各种原因没能走进大学的校园，这也是他多年的一个心结，从这次偶遇开始，顾峰开始盘算着如何才能帮助这些贫困的学子。

2006年夏天，经由中国扶贫基金会新长城项目部审批，顾峰被指定捐助10名黑龙江大学的贫困学生，自此，顾峰缘结黑龙江大学。

顾峰资助的孩子们很多来自单亲家庭，其中还有几名孤儿。和孩子们接触的过程中，顾峰渐渐体会到，孩子们缺少的不仅仅是金钱，他们更缺亲情，渴望家的温暖——为孩子们建一个家，顾峰想到就做。

2007年，顾峰为孩子们在哈尔滨周边的双城市为孩子们租了房子，孩子们有家了；2010年3月，因为郊区地处偏远，顾峰又在哈尔滨市南岗区金博花园为孩子们租了新家。每一年顾峰都坚持资助新的学生，如今，加上黑龙江大学读大学的顾锋的儿子顾谭晨，这个家已经有39个孩子了。

不管路多么难走，顾峰逐一到孩子们的家里家访，家里排行十三的张秀玲家在五常，这个刚强的姑娘咀嚼着贫困的滋味长大成人。身处困顿和迷惘中，顾叔叔走进了她家矮矮的草房。坐在火炕上，喝着两块一斤的散装白酒，顾峰和秀玲的父亲一起坐在炕上就像亲兄弟一样唠起了家常——此情此景，让秀玲体会到，原来自己并不再孤单无助，贫穷并不被别人小看。

近10年中，顾峰在秦皇岛和哈尔滨的铁路线间往返。顾峰在家里的标准形象是围着大围裙，站在灶台边，时不时掂几下炒勺，旺旺的灶火配上他闪亮的光头，俨然一大厨。“王晶爱吃猪蹄，李爽爱吃猪耳朵”，孩子们的口味顾峰了如指掌。从开始十几人到现在的三十几人的饭，一做就得几个小时，老顾说他不觉得累：“伺候自己家的孩子哪有觉着累的，最幸福的事情就是看着孩子们像小猪一样抢排骨。”

“家是温暖的，我们住进了房子里，顾叔住进了我们心里。”韩娇这样说。因为有这方空间，家从一个概念变成了一个实体，让大家看得见，摸得着，感受得到。“家里有了好吃的，可以拿到宿舍和同学们分享，一到周末，班里同学巴巴地想到我们的家里做客，这个家是我们的骄傲。”

爱心群体：用爱心凝聚爱心

对于孩子们来说，顾峰是“顾叔”“顾爸”，2009年，随着顾峰的同事——中国银行秦皇岛分行员工张德吉“张妈”进了这个家门，家里平添了许多温馨。

较老顾而言，高大帅气、性格温和的张德吉更加“溺爱”孩子们，自然而然地被孩子们喊作“张妈”。

2010年，张德吉唯一的年休假是在哈尔滨和孩子们共同度过的。女儿只有5岁，每天晚上都是听着爸爸的故事进入梦乡的。张德吉离家之前给录了7个故事，告诉女儿，爸爸去看哥哥姐姐们，听到第七个故事，爸爸就要回来了。

进了哈尔滨的家，张德吉走进了厨房，系上了围裙。整扇的排骨、肥美的鲜鱼经过“张妈”之手成了饭桌上的佳肴，“张妈”很快融入了大家庭，被孩子们接受认可了。

一些烦心事，或是孩子们和老顾有了意见分歧，张德吉往往是第一听众，“张妈”会耐心地倾听，逐条帮助孩子们分析，说出自己的建议，最后让孩子自己选择解决问题的办法。

张秀玲至今难以忘怀 2012 年冬天张德吉捎给自己的那一箱水饺。那年她只身到北京打拼，居无定所，吃饭总是凑合，张叔叔知道了，从北戴河一家海鲜饺子店订了一箱海鲜水饺，托朋友带到北京，还有一句认真的嘱咐：“身体是革命的本钱，什么时候都要把饭吃好。”

在营造家的路上，很多人与顾峰一路同行。除了“张妈”张德吉叔叔，还有“二家长”黑龙江省双城市国土资源局职工王焕斌叔叔，秦皇岛港务集团有限公司的尹群叔叔，“二舅”殷涛叔叔，还有杨叔、韩叔、周姨……

很多人想捐款帮助孩子，但却被老顾设置的“门槛”拦住了。顾峰的想法是，孩子们需要钱，但最需要的不仅仅是钱，更要有关爱和亲情。于是，这些捐助人无一例外，节假日和顾峰拎着大包小裹，奔走在秦皇岛市和哈尔滨之间。

孩子们感激顾峰和叔叔阿姨们，顾峰却用这样的话来解释自己的付出：“你们不需要感谢我，你们需要感谢的是社会。我们是社会的一分子，我们所做的都是社会给予你们的，你们以实际行动回馈社会，让这份爱继续播撒下去，我们就知足了。”

传递爱心：受助学生投入爱的接力

因为有爱，所以爱人。在顾峰营造的这个大家庭中，孩子们学会了包容和理解，学会了团结协作，学会了关心他人，学会了回报社会。

奉献自己的同时，顾峰也收获着属于自己的快乐和价值。顾峰说："我从十几岁就开始抽烟，你想这烟瘾有多大，孩子们担心我，总劝我戒烟戒酒，他们用了激将法，打赌说我一定戒不了。我脸上挂不住了，咬咬牙把吸了20多年的烟给戒了。当我告诉孩子们说我赢了的时候，孩子们说：'顾叔，我们也赢了。'我知道，孩子们是变着法地让我变得更好、更健康。"

7年多来，顾峰和孩子们在一起的时光，从对电脑的一无所知，逐渐学会了使用QQ聊天，使用QQ和孩子们每天视频，唠家常；最近还变成了潮人，学会了在网上购物，厨房的一堆简易用品：削皮机、切丝器、搅蛋器……

2012年9月，张德吉的父亲病了，家里的"大宝"刘凤宝专程从哈尔滨来看望爷爷，大宝把100元前交到了张德吉母亲手中，告诉奶奶：奶奶，这钱是我暑假打工挣的，您给爷爷买些补品！攥着孩子递过来的100元钱，老人落泪了。

一个家把没有血缘关系的兄弟姐妹们凝聚在一起，彼此关爱，相扶相携。细心善良的苑光辉是家里的"当家的"，一日三餐，家里奏响柴米油盐交响曲，苑光辉每次的飞信都是同样的话语："回家吃饭么？收到回复！"苑光辉说，他乐此不疲，这就是生活，一家人就应该这个样子。

要交水电费了，远在上海的王义男会迅速把钱打到苑光辉的卡上；家里的“小崽”有了烦心事，大姐王莹是最好的倾诉对象；家里有一个名为“相亲相爱一家人”的QQ群，家里大事小情都在这里讨论、解决；家里还有家歌，歌名就是《相亲相爱一家人》。

真爱从家里向社会延伸，孩子们用行动传递着爱心。2009年3月20日，黑龙江大学新长城自强社成立，社团发起者是顾锋在黑龙江大学资助的第一批孩子，他们提出了“受助于社会，回报于社会”的口号和“传递爱心，播撒希望”的目标。

成立四年来，顾峰家的孩子们成为社团的中坚力量。自强社积极参与社会公益活动：他们到哈尔滨道外伍连德纪念小学进行义务支教；他们为湖北省、黑龙江省和甘肃省的贫困地区捐购了3000多元的爱心包裹；此外，他们倡导关爱“三无老人”、招募“爱心宿舍”……现在已经成为拥有百名社员的大规模学生社团，连续两年被评为黑龙江大学“校园十佳明星社团”等荣誉称号。

传递顾叔的爱心，信守对顾叔的承诺，目前，顾峰资助的王刚、王晶等12名已经毕业的学生加入到了新长城扶贫活动中，一年出资300元，继续资助黑龙江大学的贫困大学生。

顾峰说，在爱的接力赛中，他不过是其中的一环，如今，越来越多的孩子们接过了自己手里的接力棒，这些孩子更有后劲，更让人期待。

你在我眼里是最美

曲　晶

“生命之歌”无障碍体验行秦皇岛站的活动已结束一段时间了，可许多人和事依然在脑海不断闪回，仿佛昨天。几十位从外地来的残障朋友及其陪同者由衷赞叹，秦皇岛山美水美人更美！他们一次次因感动而泪盈于睫。我用不灵便的手指敲打键盘，写下近3万字的幕后故事。

参与筹划组织这个大型公益活动，我前后忙了数月，病残之躯透支严重。虽然辛苦，却快乐着，所有努力都值得。我和志愿者们作为“岛民”，在活动中也发现了这个城市以及生命中更多的美好。

“生命之歌”公益网自2007年开始发起“让残疾人旅游不再是梦”系列活动，至今，部分残友已走遍全国29个省、市、自治区。我去年冬天到三亚参加“生命之歌”十周年庆，站长“追梦”拥抱了我，并郑重将2016年5月秦皇岛无障碍体验行的联络任务委托给我。

为了活动顺利举办，我联络了秦皇岛爱心车队和兄弟姐妹爱心社两个志愿者团队，还特邀曾经的国际特种兵“沙漠神鹰”出任总指挥。感谢秦皇岛市残联、市旅游局及旅游协会给予的大力支持，以及爱心企业的赞助。四天活动中，有上百位志愿者热诚服务，无偿出动车次百余辆……

回顾历程，让我们先把镜头拉回到5月25日上午的秦皇岛火车站。

近11点半，G6279次高铁载着“生命之歌”的几十位朋友抵达港城，其中大多数坐着轮椅。他们刚被引导出站，就惊呆了。

“热烈欢迎生命之歌勇士来港城观光旅行”“精彩，你我同行；自信，美丽生命”“拼搏创造奇迹，奋斗书写辉煌！”志愿者们身着红、黄马甲，打着横幅，列队鼓掌，喊出“热烈欢迎！勇士加油！”

很多残友都是有泪不轻弹的强者，这一刻，胸中的暖流涌到眼里，不禁泪光晶莹。

志愿者们引导大家通过垂直升降电梯，抵达地下停车场，无障碍公交车将众人送至金龙源大酒店。入住前每人领到一张红色的A4纸，上面打印着接下来几天的行程安排时间表，以及志愿者团队负责人的联系方式等。

酒店的午餐丰盛可口。总指挥鹰哥对大家再次表示欢迎后，宣布所有残疾人和陪同人员在秦皇岛期间的费用全免！现场响起热烈的掌声。这次活动，秦皇岛市残疾人联合会、天粮餐饮管理有限公司和凯盛环保服务有限公司都赞助了经费。

正是因为有了多方面的保障与支持，残疾人的出行和旅游不再是梦！

5 月 26 日起，残友们在陪同者及志愿者的帮助下，游览秦皇岛一些著名的景点。

在秦皇求仙入海处领略求仙文化、欣赏“秦皇泡泡大叔”演绎的兵马俑传奇，走进野生动物园和新澳海底世界感受人与动物和谐共处的美妙，徜徉于沙雕海洋乐园惊叹艺术的魅力，漫步海边栈道放松、放飞心情。蓝天下，万顷碧波闪动着温柔的眼眸，轮友们排成一个纵队，伸出双臂，齐做飞翔之姿……

秦皇岛优美的自然风光与人文景观，让远方来客深深陶醉，惊喜连连。每个景区，不但打开绿色通道，对残友、陪同者和志愿者分文不收，而且安排了免费导游，为我们讲解。

秦皇岛的景区，整体无障碍情况令残友们满意，坡道、无障碍卫生间一应俱全。“生命之歌”的领队“老鬼”，被誉为轮椅上的徐霞客，十多年来游历了全国 300 多个城市，还走出了国门，他每到一处都特别记录下无障碍情况。当他从野生动物园高规格的无障碍卫生间出来后，不由竖起大拇指，赞叹这是他见过的 No.1！

还有更大的惊喜在等着大家。

28 日，周六。早七点，上百人的队伍在酒店门口集结完毕，向山海关进发。

长城，虽已失去了往昔的军事防御意义，但它上下两千年，蜿蜒几万里，承载着无数动人的传说及中华民族精神的图腾。它是奇迹，更是奇观！“不到长城非好汉”，可对于许多坐轮椅的朋友来说，登长城却是做梦也不敢想的事。我在二十几年前，曾拄着拐杖攀登上去，寸步难行后，它于我无异于天堑了。

古建筑的原始风貌须留存，我们的老龙头景区近年进行无障碍改造，修建了一些坡道，但坡度仍较陡，另有台阶重重。

但有志愿者的地方就有路！来自三个团队的 80 多名志愿者，顶着烈日，分成若干小组，用臂膀抬起轮椅，一步一步，负重前行。衣衫被汗水湿透，那些或青春或不再年轻的面孔上满是坚毅，他们用行动续写着我们坚韧不屈的民族精神。路过的游客，看着这支特殊的队伍，由衷为热爱生命的残友们点赞，为志愿者和我们这座最具爱心的城市点赞！这是最美的风景！

志愿者们抬着 20 多位坐轮椅的残友，有的搀扶着拄拐杖的朋友，拾级而上，来到巍峨如龙首高昂的澄海楼下。极目远眺，但见海天一色，奔涌的巨浪气吞海岳。“长城连海水连天，人上飞楼百尺巅”，万种豪情在胸襟激荡。

有些第一次登上长城的残友，深情地触摸着城砖，任热泪挥洒。

高位截瘫的山鹰大哥来自云南，秦皇岛的美景让他频频举起胸前的单反。到达入海石城景点，他想拍城墙外的大海，可城墙较高，他刚做了个举相机的动作，身边五位志愿者就将他连同轮椅稳稳地举到了空中。“别急，您慢慢拍吧。”听了这话，山鹰激动得话都说不出来了，眼睛不觉潮润。伴随着“咔嚓”的快门声，他将眼前的景象记录在镜头里，而这一幕，也被别的队友定格下来：志愿者虽然辛苦，但每个人脸上都挂着灿烂的笑容。

“此情此景，我会记一辈子！这种无微不至热情的志愿者，在秦皇岛到处可以遇到。”他讲述了前一天的经历和感动。他与几位残友晚饭后划轮椅去人民公园，划了一会儿，他突然感觉手上轻了，往后一看有个年轻女士在推，其他人的轮椅后面也出现了热心市民帮忙，一直把他们送到公园才离去……

“生命之歌”的朋友来到这个城市，先后有上百位志愿者约300人次提供优质服务。前期，总指挥“沙漠神鹰”带着人仔细考察景区路线和无障碍情况，冒着细雨或顶着骄阳，有时甚至顾不上吃午饭。

当远方的客人到来，有多位志愿者连续四天助力圆梦。有的放下了生意，有的放弃了休息，有的顾不上自家需要照顾的老人、孩子，有的自己本身就是病人。因为来参加的志愿者太踊跃了，远超过了之前我们预定征集的人数，以至于有两天中午的盒饭没够，志愿者便两人分吃一份……没人计较得失，没有丝毫抱怨，他们义无反顾地投入，献出了亲人般的爱。

水清清大姐每晚要上夜班，凌晨四点左右才能回到租住的小屋，七点多就赶来参加志愿服务，她特别活跃热情，黄昏归来，无暇休整就继续去上夜班了。连续折腾四五天，有一回她在无障碍公交车去景区的路上，竟睡着了，她真的太累了。

爱心车队的心雨患有肺心病，身体弱，为做志愿保障拼尽全力，全身酸痛，走得累哭了，但第二天、第三天，还是无怨无悔地继续回到自己的服务岗位。我劝她在家歇半天，她眨着大眼睛笑笑：“没事，我扛得住。”

这就是我们可敬可爱的志愿者们。他们把累与痛留给自己，把真爱和笑脸留给了远方的客人。聪明是一种天赋，善良是一种选择。一个人的意志可以越来越坚强，但最珍贵的却是心灵越来越柔软。

这次秦皇岛行，一路欢歌笑语。美景加志愿服务加良好的无障碍设施，让残友们的圆梦之旅留下太多美好与感动。多家媒体跟踪报道了本次活动，秦皇岛市委孟祥伟书记也给予了高度评价。

短短几天相聚，许多人成了好朋友，分别时依依不舍，泪眼蒙胧。道不尽声声珍重，山高水长，我们后会有期！

天津的孙达人因肌病全身无力，来秦皇岛前曾顾虑重重，体验后让他有了脱胎换骨的变化，为今后出行增强了信心和勇气。他双手挛缩且失力，无法敲击键盘，回家后咬着牙刷把，写下上万字的活动记录与感想。他写道："秦皇岛被称作'最具爱心城市'，确实实至名归！以至于有的残友开玩笑说，我们在这座中国唯一一个以皇帝命名的城市，享受了皇帝般的待遇。我想说的是——我在秦皇岛的路，是志愿者们用他们的爱心铺成的！你们——是真正的好汉！我永生难忘，在秦皇岛得到的帮助与爱……"重残的北京女孩尹元月、内蒙古的洁儿、北戴河的脑瘫女孩琪琪，也都写下自己此行满满的收获。

"像城头飘来的歌，像枝头栖息的鸟，我们迟早都会消失，唯有善与美才能永恒。"这是令我心动的一句话。爱与陪伴，是这世上最长情的告白。用真心，总会与美好相遇。而作为一直生活在这个城市的我，在参与组织这次活动时，发现了秦皇岛更多的美。有朋友问我，如果可以选择，你愿意生活在哪个城市？我毫不犹豫地笑着回答：还是秦皇岛！

岛上听风

钱 欣

向冰海中那些年轻火热的心致敬

在来不及脱掉棉衣、掏出手机就扑向冰冷海水的年轻人身后，在由燕山大学23条活生生的生命结成的生命链的旁边，远远地，几个“大明白”在指指点点、指手画脚——“知道么？”“其实……”“假如……”“如果……”，很多人就是这样，语言总是大于行动。

刚刚妻给我转发来一段文字：“我们真的需要如此缜密地探讨被救者究竟是不是精神病吗？如此，我看是我们的精神有了病。中青报记者樊江涛质疑辽某晚报，你们记者说话负责任吗？给派出所打个电话就说孩子们救的是冬泳者，你们这样说对孩子们公平吗？问得好！赞一个！想起了李博亚，为了救一名卧轨的精神病患者失去了一条腿，人生因此残缺，在生死一刹那，我们需要专家论证轻生者是否正常吗？这条生命值得救吗？生死往往就在这瞬秒之间，李博亚和燕大李镇豆等孩子们表现的是对生命的尊重，源自心底的正直善良，源自责任与担当。让那些用貌似理智掩饰的麻木冷漠见鬼去吧！这句话送给那些故作不凡的同行。”

人从什么时候变得不再简单？人从什么时候变得如此复杂？麻木，庸俗，责任缺失，已经使一些人的心中缺少了道德高地。本应拥有的相信崇高、呼唤崇高、追慕崇高之心，实在让人心向往之。可是没有！一些人所做的只是用自己不太干净、不太高尚的思想去怀疑，去说三道四，甚至自己的思想和行动已经深陷污泥浊水不能自拔，还妄自埋怨和框囿月亮本不应该、也不可能那么明亮皎洁。以己之心度他人之意，但己心不净啊！就如同拿一面没擦拭干净的、乌乌突突的镜子去照蓝天白云，那定然会是雾霾一片。

在这个异常寒冷的冬季，秦皇岛不光百年不遇地收获了初冬飘飞的大雪，于波浪翻滚的冰冷海水中，23 个年轻大学生用年轻的身躯、用火热的生命、用滚烫的豪情，奏响了冰海救生的人生壮歌！

爱心城市秦皇岛，因为你们的到来，因为你们的善良，因为你们危难关头一闪念间的爱心、果断、勇敢、担当，而愈发美丽。你们为“最具爱心的城市”，涂抹上了重重的一笔亮色！你们浸泡在冰冷海水中的生命链条迸发出的热量和能量，驱散了人们心头的寒冬，使暖冬的皑皑白雪中红梅绽放！

在举全市之力，以“全力以赴，志在必得”的决心，戮力创建全国文明城市的冲刺阶段，你们的义举，恰恰成为文明城市最好的诠释、标准和注脚。创城不是目的，它见证了文明一直在路上。当更多的秦皇岛人通过创城抛掉陋习、提升责任、与人为善、从善如流，当更多的秦皇岛人能够做到随手捡起脚下的垃圾，当更多的秦皇岛人能够在斑马线前耐心地注目老幼在车前静静通过，当更多的秦皇岛人面对摔倒的老人能够毫不犹豫地扶上一把，当更多的秦皇岛人面对丑陋邪恶能够同目相斥、义无反顾，那么，我们这个城市将永远是蓝天白云、碧涛轻涌、和风鼓荡、鸟语花香。

当然，“在路上”的过程并不会像我们一厢情愿的那么一蹴而就，文明素养的提升过程也一定会磕磕绊绊。这需要我们每个人，不管是老年人、中年人、青年人、少年儿童，也不管是乡村还是城市，都要树立起责任意识，担当起人生使命，从我做起，从脚下做起，从每一天、每件事做起，就像渤海岸边滔滔浪花中的23个年轻勇敢的大学生们那样，用自己的行动，为创建文明城市付出我们的真诚与真心。

秦皇岛因他们而声名远播。他们用自己的行动，通过了人生一次最重要的道德考试。最让人欣慰和快慰的是，他们是一个群体，是一群富有朝气的青年。6分钟，一刹那，他们由本心迸发出来的本能足够清净，一刹那，他们足够聪明智慧。在“历史耐心”的思考面前，我们的希冀找到了足够的依托和凭靠。

那么在一刹那，在23个孩子面前，我们照见并参透自己的本相了吗？本该清澄的心被什么蒙裹了一层又一层？本应义无反顾地迈出的脚步，又在被什么羁绊绞缠？

人，干什么来了

一位同事家在装修，她说：“回家，家门口站着一个男的正在打电话，我大概听明白了，他正与另外几个人敲定去青龙山区一个小学资助贫困孩子的事。后来我才知道，他是来给我家安整体厨房的。他是农村来的打工仔，曾经跟着老板下乡资助贫困孩子，他觉得这样的生活方式很充实，很有价值。后来，他自己也组织了一些打工仔，有时间了，每人拿出一百块钱，买点学习用品去农村小学，送给那些比他们还艰难的家庭里的孩子。”同事说，她受了感染，也想这样做，正在筹备。

她的话，让我想起最近为市德模范撰写颁奖词的事。彼时，在一个个鲜活的好人面前，我曾经自惭形秽，感慨良多。面对一天又一天如白驹过隙般的人生，真的感佩于他们异乎“常人”的一刹那行为，或恒久的坚守。

未淑云，虽然只是一名普通的退休干部，但她却是一个用善良将自己的身心悉心打扮的老人。30 多年，每年她都会为辖区幼儿园的孩子们拿出一个月的工资，她无偿帮助多名家庭困难的学生完成学业，每遇大灾大难，她都慷慨解囊为灾区捐钱捐物。靠省吃俭用和爱心的坚守，她已累计捐献 40 多万元。虽然遭遇了人生最大的丧子之痛，但她依然是一个因善行而深感快乐的老人。

范木兰老人，靠退休工资生活，但常年资助家庭贫困的学生。她每天捡矿泉水瓶，把卖 10 万多个矿泉水瓶积攒下来的钱，以希阿芝——“献爱者”的名字寄给了地震灾区。现在，老人得了脑瘤，右耳失聪，右侧面瘫，又在一年前经历了丧子之痛。但是，磨难并没有使她动摇，她注册成为一名“奶奶级”志愿者，这一年，她 75 岁。

沈汝波，是雷锋的崇拜者，入伍第一天就立下宏愿，每天至少做 4 件好事，一生要做 10 万件好事。退伍后的 30 年，他一直在坚持。聚沙成塔，细流成河，如今，他已累计做好事 8 万件。

按摩师王勉，20 年前他还很年轻，那时他成立的爱心团队叫

“青年志愿者服务队”。20 年中，他资助了 16 个孩子上学。他挣钱不多，但有点钱就捐，房子还在还贷款，但依旧执着不辍。20 年后，他已不再年轻，可好事还在继续做，他的团队还叫“青年志愿者服务队”。他的经历告诉我们：做好人，永远年轻。

55 万元的诱惑，谁能不动心？可有人没有动心。面对以为自己只中了 5 元钱的 55 万中奖彩民的那张烫手的彩票，那一刹那，投注站销售员赵宁玉没有被贪欲击倒，心中坚定的道德底线，使她完成了人格崇高的升华。赵宁玉说：“既然咱干这一行，就必须做到诚实守信。”

一位大学生突发急性脑膜炎住进医院，可 3000 元押金，却成为这个出身贫寒家庭的孩子难以逾越的生命鸿沟。恰巧，由此路过的一个男人看到了这一切。他没有丝毫犹豫，从兜里掏出 3000 元钱，迅速帮其把这道鸿沟填平，之后他悄然离去。他，叫王玉杰。

她不计前嫌，以德报怨，悉心照顾前夫的弟弟、自己曾经的“仇人”，所以，村里人都称她“大义嫂子”。恶毒的小叔子曾经向她连扎 5 刀而导致自己与丈夫离婚。20 年后，孤身一人的“仇人”得重病在医院无人照料，曾经的嫂子与她现任丈夫毅然担起了付医药费、照顾“仇人”的责任，并把瘫痪在床的他接到家里洗衣喂饭、端屎端尿。她说，虽然和他没有血缘关系，但这么多年，总归是做过一家人，“人活着，还得做好事，积德行善。”这个人，叫高清兰。

听到有人喊“抓骗子”，他会挺身而出；听到有人喊“抓小偷”，他会义无反顾；遇到老人走失，他会先报警，再耐心陪伴，直到老人的亲人出现；看到老人摔倒，他会二话不说、毫不犹豫地将其扶起。旁边的人说："你不怕人家赖上你？"他坦然地回答："不怕，打赖的毕竟是少数。"这个人，叫张福林。

路上捡到钱包，他会在路边苦苦等候失主，他还会循着身份证上的地址去敲门。遇到有人落水，他会本能地跳进水中救人，然后悄悄离去。拿到公司的1万元奖金，他会马上捐赠给青龙贫困留守儿童和云南鲁甸地震灾区。面对感谢，他会平静地说："这个世上好人多，你把这份友善传递下去就行了。"热心助人，已经成为他的生活习惯。他，叫张继勋。

人生的终极追求究竟是什么呢？这时候，我会觉得说那些好人是傻子的人，太傻了。因为，他们的人生过程可能已经与领悟、追求、践行人格、身心和境界的纯粹崇高渐行渐远，甚至可能遗憾地永远无缘。人，就这样带着贪嗔痴来，又原封不动地带着它们走了吗？

长河滚滚荡荡，无始无终，我们都是匆匆过客。可之于每个个体的生命，又都是那么无法重来的唯一。面对这弥足珍贵的唯一，但愿我们都不要做生命旅途上的懵懂者、无明者、遗憾者。

我为什么不还口

仿佛倏忽间，拉拉杂杂攒了30多篇小文，填充晚报"今周"的"岛上听风"。半年多下来，突然有所领悟：像赶鸭子似的想选题、赶稿子，真的是只为自己的一句承诺吗？事实上，"岛上听风"让我学得更多，看得更多，思考得更多。细细琢磨，只要豁达明朗、积极真诚，你面对的哪件事、哪个人，不会是你逍遥漫游的轻飏之风呢？

当下的创建全国文明城市活动，一定是我们当下每一个个体生命面对秦皇岛发展步调时应该愉悦并积极参与其中的一件好事。

“知道么？这几天你火了！”一位美女跟我说。“咋地啦？”“微信哪。”“嗨！我连手机短信都不会发呢。”笨拙而不思进取的我真的只会接打手机。“火”了的这件事是市文明办配合创城组织的一个“文明是什么”微信平台，“好事者”把我“随手”在电脑上敲出的几十句“文明是……”放在了上面。

摘几句：“下班回家的路上给老爸老妈买点好吃的。”“大老爷们儿早点起床，擦擦家里的地板。”“在任何人和事面前，反躬自省。”“对每一个陌生人，报以浅浅的微笑。”“用喜悦的心，仰望天空的每一只飞鸟。”“用敬畏之心亲近大自然。”“早晨起床，推开窗子，让第一缕阳光铺满房间、洒向心田，使每天都有个好心情。”

经过几代人的共同努力，中国的经济总量已经世界第二，实现中华民族伟大复兴的集结号，再一次让“中国梦”的嘹亮音符跳跃在了华夏大地，缭绕在心头。但经济的腾飞非但替代不了全民文明道德的跃升，反倒使中华民族曾经数千年积淀的文明仪轨出现的断裂愈发凸显。一些人的信仰、信念严重缺失，私欲严重膨胀，无耻而不自知，权力、金钱成为以生命为代价所追求的唯一和惯性；一些人不自省，不自律，没有禁忌，缺少敬畏，肆意无忌地在网络上宣泄展示丑恶、阴暗、自私、冷漠……

进入全面深化改革的深水区，恰恰是层出不穷的问题成为改革前行的动力。翻过一山再越一壑，如此，壮士断腕，背水一战，也是我们面对道德体系建设时应有的责任感、紧迫感，以及决心和态度。行动上的不文明，其根源在思想、在道德、在灵魂深处。文明的养成需要温馨提示，也需要强力灌输。

通过“创城”等一个又一个的活动，把“核心价值观”的24个字化作每个秦皇岛人的一言一行，形成人人向善、人人向美的社会发展正能量，让每个秦皇岛人心中都能主动摒弃黑暗、狭隘、自私，转变推卸责任、得过且过的固化思想、定式思维和行事方式，理所当然地用堂堂正气抵御不自知的惰性、邪气、歪风，用“好人好梦”反衬故步自封、不思进取的僵化，用“心向大海，梦想成真”突破思想之冰、行动之冰、腐败之冰。这，有什么不好？

有人用我编的微信的第一句调侃我：“谁骂我，我都不还口。”其实，那来自于我和妻的一次路边散步。将过马路回家时，被身旁掠过的一辆自行车擦刮，一男一女两个年轻人在骑车向前时回头谩骂。我和妻瞬间在他们身上看到了可能的自己。于是闭嘴，微笑……

一沙一世界，一叶一菩提。人，最难的其实就是找到自己。那么，就让我们找一找今天的、现在的、当下的自己吧。

买张票走进去，然后安静

想很浅显地说一说秦皇岛最近发生的几件事。事儿小，也不小。

最近，看了几场演出。一是由市文广新局策划的秦皇岛交响乐团音乐会。一班演奏者都是非专业的，在过去，上赶着送票，也得一片一片地空着座位，可这次，文广新局坚持不送票，只能在网上和售票柜台买票。晚7点半开演前，一个年轻人看售票柜台前排着两行队伍，以为都是买电影票的，想跟人家商量一下，先买张演奏会的票，可人家回答说："我们也是来听音乐会的。"定睛一看，排队的都是年轻人。

演奏会，竟然观众爆满。虽然只是象征性地10元、15元、20元，但演出市场真正走商业化道路的尝试和坚持，无疑是成功了。

上个月，国家京剧院来秦演出整本的《杨门女将》，难得的享受。头几天，自然是习惯性思维和做法，找关系，找票……到最后，我们一家规规矩矩、高高兴兴地排队买的票。

奥体中心的6789摇滚音乐节也是人头攒动，激情澎湃。一水儿的商业运作，不也成功了。我也去了，为我们这一代的摇滚"教父"，为30年前崔健给我的触动和震撼，为那个破冰的年代，为怀恋打破思想禁锢的艰难，为珍惜中国一步步走到今天的不易。在现场，沉醉着《花房姑娘》，激荡着《新长征路上的摇滚》，仰头任细细的雨丝自夜空飘落在脸颊，恍如隔世……

想到了文化的属性。立足文化铸市，建设文化强市，除了政府的投入与引导，关键的是让文化回归本源。在把握先进文化大方向的前提下，怎样让文化从仅仅是宣传教育功能中脱胎出来，从文化产业、文化属性上有一个真正重新和准确的定位？该管的管，该放的放，绝不拍脑门，绝不主观臆断，绝不大包大揽。

想到了文化的价值。人类几千年的文明史积淀下来，最丰富、最迷人、最具发展底蕴的，除了科技，就应属文化了吧？在经济体量巨人化的当今中国，文化，或者叫文化产业，是可预见的最具发展前景的明天。所以，要建立起文化的尊严。

一座城市，广场文化、民间文化，因其广泛的民间基础和其广泛的民间参与度，自然不可或缺。那些大妈们的广场舞，你不让她跳，她还跟你急呢。可你让有些人走进剧场，安安静静地坐在那儿两个小时，不走动，不说话，不咳嗽，不接电话，不一定能受得了。

一座城市，不能没有剧场，不能没有音乐厅。剧场里不能没有话剧、京剧，音乐厅里更不能没有钢琴、小提琴、交响乐。这是城市的品位，城市的档次。

也许有人认为这是一道两难选择的无解之题，但试想，破题之处还是市场，关键节点还是下定决心之后的坚持、再坚持。

还得提一场音乐会，是秦皇岛的一家琴行为开业庆典而公益呈现的，来自美国的佩里女士，以其对音乐的透彻感悟，以其至真至纯的气质，以其心无旁骛的艺术气场，为港城人民奉献了一场精彩的文化盛宴。这一次，是我见到过的文化广场的剧场观众最爆满的一次。那一晚，音乐的气息如此让人陶醉……这是文化应有的自信。

那天，我与音乐会举办方共同完成了这样几句开场白：“今晚，当我们一起聚拢在音乐的殿堂，相信所有人的心中都有一个共同的梦想和思考，那就是我们的人生，我们的生活，我们的社会，为什么不能遗忘文化？以及，当书香把我们浸润，当音乐把我们拥抱，我们的生命体验是否丰厚、清雅了许多？我们的社会、我们的城市，又是否因文化、因艺术、因音乐而更具品质和魅力？我永远相信，有了音乐，爱就会更多一分，美好也会更加鲜亮、更加丰润地常驻心怀，文化艺术的清风雅韵，也会使港城的天更蓝，水更清，人心更高洁，更善良。”

第四辑

如诗画卷

今月曾经照古人

王雅静

秦皇求仙入海处不是历史遗迹，但它是历史产物。

它藏在市区一个叫作东山的地方，一面临海，三面被民居所包围。在表面上，它完全融入了这片建筑，融合了这里的市井风和烟火气。等到走进去，才发现两千年岁月在园内的古木疏竹、青砖灰瓦间隐隐约约。

秦皇岛这座城市的由来与秦始皇密切相关，可是除了沿海发现的几处深埋地下的行宫遗址外，在秦皇岛竟然没有一个可以凭吊两千年历史的去处。时光流逝得太久，以至生活在这里的寻常人早就不关心那段古旧的过去。在这片临海的土地上，秦始皇只留存在文字中。

但这片土地终究是古老的。天地玄黄，宇宙洪荒，浩浩历史中，能够被名人青睐的地方毕竟有限。秦皇岛，因为中国第一个皇帝的屡次造访而得名，这该是它最早的骄傲。

两千多年前，六国灭，四海一，秦王嬴政建立了中国历史上第一个统一的、多民族的中央集权的国家。秦帝国的强大，体现在政治、经济、文化各方面都达到了前所未有的顶峰。修建万里长城，抵御北部匈奴的进攻；统一了文字货币和度量衡；动用了当时全国人口的十分之一去修建阿房宫、始皇陵，御外与内治，成就了秦始皇在军事和文化上前无古人的大手笔。

现代人谈论焚书坑儒充满了平静。而在当时，这场运动是弥漫着血腥味的。秦朝之前的春秋战国时期，诸侯割据，各自为政，社会动荡，风云迭起，于是产生了诸多的学派学说，并撰写出无数著作，史称诸子百家。这些人面对纷乱的社会状况，希望通过思索和钻研前人治世理念寻找到一条可以使社会安定、百姓和乐的救世之路。儒、道、法、墨、阴阳、纵横各家纷纷登场，一时百家争鸣，莫衷一是。争鸣延续到秦朝，严重阻碍了秦始皇对六国民众思想的统一，并威胁到了秦朝的统治。公元前213年，秦丞相李斯进言，说诸子百家“入则心非，出则巷议，夸主以为名，异取以为高，率群下以造谤”。于是，便有了大规模的焚书坑儒。据《史记》卷六《秦始皇本纪》记载：“臣请史官非秦记皆烧之。非博士官所职，天下敢有藏《诗》《书》、百家语者，悉诣守、尉杂烧之。有敢偶语《诗》《书》者弃市。以古非今者族。吏见知不举者与同罪。令下三十日不烧，黥为城旦。所不去者，医药、卜筮、种树之书。”第二年，都城咸阳460余名儒士和方士被坑杀。

禁锢了嘴巴，并没能禁锢住思想。而且，被暴戾蹂躏之后的思想很快化作锐利的武器——起义。秦王朝短祚的15年，给后世的统治者一个绝好警示。若干年后，唐朝的章碣作《焚书坑》云：“竹帛烟消帝业虚，关河空锁祖龙居。坑灰未冷山东乱，刘项原来不读书。”不读书的刘邦、项羽，对视儒生为大敌的秦始皇是个莫大嘲讽。

面对几千年历史，人们可以从容不迫地浏览和评析。于人于事于时代而言，也许只有时间才能还原一切公平和客观。胡适说，历史是个任人打扮的小姑娘。那么无论是谁，都无法再现时光，而且在回顾中必然带有不可避免的主观色彩。对于秦始皇，自然也是功者功之，罪者罪之。

于是，秦皇求仙入海处成为后人臆想之后的果实。

这个果实无疑迎合了更多人的口味。当人们看惯了相同的车马人流、高楼街景时，一个城市的独特之处会产生最具魅惑的力量。更何况有太多的人喜欢行走在书本之外，喜欢面对真实的事物怀古探幽。秦皇求仙入海处的存在，只不过是将那段岁月浓缩成了一座园林，让后人的思绪有一些附着，至少还能随着自己的脚步放飞。在这座园子里，有许多说不上年代的古树。它们树冠茂密，虬枝横逸，太阳洒落一地光影碎片。窄窄的甬道穿过林荫，似乎穿透了古今帷幕、朝代隔膜，可以依次看到齐楚燕韩赵魏这些或大或小或弱或强的国家，经过一番痛苦挣扎后，无一例外地成为秦国囊中物。围魏救赵、邯郸学步、负荆请罪……许多成语从词典中走出来，浮雕成一个个神形并茂的人物。

在这里，秦始皇雕像无比巨大。不要说这里，在中国史上，若论功绩，秦始皇也当得起这样的巨大。王者之气笼着雕像，和雕像脚下漫长的求仙路。千古一帝面海临风，为入海远行的求仙方士送行。送行，同样也是等待。他明知道人生有始有终，所以他叫自己始皇帝，在内心渴望着有二世、三世，一直一直地传承下去，可是他又对未来充满了不可预见的恐惧，生怕后继乏人，江山不牢，于是便执拗地相信这世间人可以不老，那些不老的长生药就藏在海中的仙山。长髯飘起，阔袖翩然，没人能说得清在他的目光中究竟含了几许期待和依托，交织着怎样的矛盾和落寞。

每年的端午节，这里都举办一场盛大的望海大会。官方的，民间的，各种娱乐活动引来世界各地的游人。活动中的人们着古装，奏古乐，祭祀、朝拜、庆典，都带了秦时旷远的悠扬和陌生。那些天里，凭着仅存的记载加以充分想象，人们重温了秦始皇求仙的千年盛景。明知道衣袂间流荡的早已不是秦风古韵，那段历史成了碎片再不能完整拼接，可是，所有的人都兴奋着，满足着。人们满足的是自己的好奇心，是对平淡生活的更深挖掘之后涌出的无限快乐。人们无暇思索，鼓点中，舞步里，把历史恢复成今天这般模样。

只有初五的新月，见识过当年。

我所在的城市

红　菱

有没有一座城，可以安放身体的同时还可以安放心灵，能够照亮眼睛的同时还能照亮远方？

在海边，我早已经可以轻易按捺住心底的激荡与澎湃，目光沉静地越过鸥鸟的翔舞，然后越过蓝色的波涛，一直抵达远方的海平线。事实上，我很清楚，目之所及的尽头，并不是真实所见。真实的存在，始终比所能感受到的距离更远些。

阔达、舒朗、开放、包容、敬畏……海洋的特质给予人类的这些词汇，总是让人对大海和生活的凝望突然变得充满深情。回首也是这样，思考也是这样。就像丽江的纳西族人高兴了喝酒、忧伤了也喝酒一样，秦皇岛人，喜欢在高兴或者忧伤的时候去海边，在浅滩上走一走，或者静静地坐在那儿，看日出，或者看日落。

作家洪烛在他的散文《海誓》中写道："当我手持火车票向秦皇岛出发，曾这样自豪地回答熟人的询问：'我看海去！'那语气，仿佛去探视我们生活范围中的一位伟人。"他说，"一位爱海的男人，永远不会惧怕受伤，所有的伤口所有的疼痛，都会在听见涛声的那一瞬间，得到奇迹般的恢复。”

每一个幸福的人，习惯沉浸于自己的小世界和对神奇自然的感知，因此即使眼前的水域一望无涯，有风或者无风，惯于平宁的心底都掀不起波澜。人们向大海学习的，既有面对慌乱生活之时从容不迫的态度，还有独自疗伤的能力。很多时刻，我们为生活里有这样一个神秘而阔大的所在，感到无比幸福。

我来到这个城市已经整整十一年了。十一年，足以让一个人从青春年少的无知轻狂到淡然沉静，再到心底满是沧桑，从漫无目的地游荡到脚步坚定地抵达，甚至，从欢欣而又挣扎地生，到淡然地接纳病或者死……十一年了，我还住在到这个城市之初栖居的老房子里，看着那样一个小小的院落里花开花落和人来人往。我每天步行十分钟到单位，每天早上在号称亚洲最大的环岛公园散步。有时候，我会站在公园的最高处，选择一种尽收眼底的方式看公园里形态各异但又自得其乐的人，看早春里的花树醒转或者在雪地里默默站成风景。更多的时候，我也在做环形行走的人群里，不经意就成了他人眼中风景的一部分。

环岛有许多错落交叉的小径，有许多独具特色的小景，亦有许多异常欢乐的小娃……这些融汇在一起，成为最值得欣赏和期待的事物。在我所钟爱的城市之烟火气息里，这些是最让人内心触动的气息之一种。这些值得深爱的细小微末，完全可以成为所有浩荡、丰饶、富足、寂然的风景之中，最容易让人欣喜的一抹亮色。

我一直喜欢称我所在的城市为“小城”。一个“小”字，有压低声线呢喃细语般轻唤的喜爱，也有故作姿态的炫耀，甚至，有些莫名其妙地想要将其隐藏。林徽因说:“有人说，爱上一座城，是因为城中住着某个喜欢的人。其实不然，爱上一座城，也许是为城里的一道生动风景,为一段青梅往事,为一座熟悉老宅。或许，仅仅为的只是这座城。就像爱上一个人，有时候不需要任何理由，没有前因，无关风月，只是爱了。”恐怕只有这样的爱，才称得上真挚，才更有意味，才禁得住岁月的消磨。

这个城市，有很多环岛这样的休闲之地。这些地方，可以容纳倦意堆积、恣情欢乐，容纳忘情奔跑、独自默默，亦可以让你洞见一个城市的包容与清澈。因为拥有这些绿意葱茏的所在，一座城，便永远不会老去。

城市的内里是这样，有着无尽的新意和趣味，向外延展开去，城市的周围却是更加丰饶。有山水，有长城垛口，有湖林，有历史故事，有秀美乡间千回百转的乡愁，亦有温和而有爱的秦皇岛人刻意守护的善良坦诚和精致芬芳。

这里是全国爱心城市。因为职业的缘故，我有幸走近那些备受关注或者默默无闻的爱心人士和团队，自认极难被感动的心，出乎意料地开始变得不平静。那些感动，一再地融入笔端和生活。我愿意以他们为路牌，以他们为启示。就像人们在北戴河鸽子窝公园会情不自禁地大声朗读那首《浪淘沙·北戴河》，在联峰山山顶会一遍遍默念“东临碣石，以观沧海”，我希望城市里的每个人，也能由衷热爱这些堪称风景的人和事物，能适时记起他们的名字，如同记得小城的朴素风景和风景之外的城市精神。

现在是朝着深处走去的春天，我有必要谈谈人们眷恋着的那些花儿。花朵怒放是春天里最靠近明亮和热烈的一种事物。春天里到处都有花开，但也不是每个城市的人都能感受到花开的诗情，并愿意表达对花开这种事物的由衷热爱。

在人民公园的一个小角落里，我看见十几个举着“长枪短炮”的人，长时间地对着一枝离地不过半米的玉兰，那玉兰花枝上，只有纯白色的一朵花开。没搞清楚状况之前，我无比疑惑。也有与我一样疑惑的人，举着手机踅到跟前去看个究竟。搞清楚之后，我有点震撼。原来，他们在拍摄小鸟儿和玉兰花。他们要用一整天的时间一直等待鸟儿来，等待鸟儿在花叶上停落，然后翩翩起舞。鸟儿展翅的那一瞬间，咔嚓咔嚓的声音就像伴奏的音乐一样美妙。

眼见为实，真实不虚。这些摄影者，他们在用自己的方式融入春天，融入城市，融入热烈的生活。接下来，会有榆叶海棠、郁金香、牡丹花等更多的花朵盛开在城市的角角落落。因为一波一波漾起的这些花儿，生活变得无比热烈。迎春不说黄，丁香不说紫，桃花不说霞满天，梨花不说白如雪，人们什么也不说。但是不说，不等于不热爱这沸腾的生活，不等于不热爱这滨海城市特别的春天、特别的景致——“浪花伴着百花开”。

谁说梦想的栖居一定是要在远方呢？生活，也真的不一定要在别处。因为，熟悉的地方也有风景。

每年三月，因为诗人海子的缘故，全国各地的一些诗人、海子的亲人和同事会来秦皇岛参加一场诗歌的盛会——海子诗歌艺术节。他们回首海子在人世间的最后停留，他们谈海子的生前诗和身后事，也谈四姐妹和麦子，有很多人喜欢在这样的季节和日子里朗诵他的《面朝大海，春暖花开》。我想，没有哪一首诗比这一首更契合秦皇岛的景色和风骨。海子说：“从明天起 / 和每一个亲人通信 / 告诉他们我的幸福 / 那幸福的闪电告诉我的 / 我将告诉每一个人 / 给每一条河每一座山取一个温暖的名字 / 陌生人，我也为你祝福。”

如果，生活在岛上的人，能懂得诗里的表达与祝福，也许能成为诗人寄望的那个样子，也许能更靠近“诗意地栖居”。当然，这样的领悟也未必来源于诗，也可能来源于生活。

一方山水润泽一方土地，一脉情怀舒展一脉风骨。有情的山水养育有情的人群，开放的城市蕴蓄开放的胸襟。谁感受到了一个城市的开阔，谁的生活就会像大海一样一泻千里，就会像天空一样无限延展。

这个城市里的居民，很多来自异乡，因此他们都有各自的故乡。乡愁属于童年，属于乡村，属于远方的故里，属于远去的和正在远去的亲人。曾经在这里停留之后离开这座城市的人，行囊里无不增添一份沉甸甸的忆念和早把他乡作故乡的情怀。相信他们会一直怀恋这座城市，怀恋这里氤氲海风腥涩的味道，怀恋十里槐花盛开的浩荡，怀恋海上生明月，怀恋城春草木深，怀恋不同于他城的日出日落，曾经的无比欢欣和默默忧伤。

我也会怀恋，虽然我暂时还不曾离开。我栖居城市一隅，听潮涨潮落，听花落花开，听草枯草萌，听人去人来，听呢哝小语，听岛上清歌。莫问明朝归何处，且在岸边踏歌行。我所怀恋着的，不过是稍纵即逝的现在。

可以想象海滩上焰火怒放的绚烂吗？可以想象怯怯看尽百花的情怀吗？可以想象平凡人家别无他事的幸福场景吗？可以想象

惊涛骇浪与静水流深的同在之美吗？可以想象秀美自然与俗世生活的相映成趣吗？可以想象看海上日出、山间日落泪流满面的感觉吗？可以想象古老故事与沸腾生活慢慢洇染的那个画面吗？想象空间无限之大，最真切的体验一定是从生活场景里一一得来。

“提灯寻影，灯至影灭”。在人间烟火中耽溺的我们，平淡生活是最现实的行走。有时用欢唱聊表内心的激越，有时沉默未必不是最好的表达。我们来过，寻觅过，等待过，深爱过，之后哪怕最后的结局依然是幻灭，也不一定没有意义。因此哪怕你来过之后淡忘了这片山水的独特，你爱过之后模糊了那个人的面庞，那又有什么关系呢？

有些秘密与启示，在行走的过程中被看在眼底，铭记在心中。有些城市与风景，必定是在行色匆匆之外的，它可以带我们到更远的远方去。

我深深爱着我所在的这座城市，一如爱着当下的生活。虽然，未必能够说出一个特别明确的理由来，虽然有时候，与迎面而来的路人擦肩而过的瞬间，依然会觉得恍惚与陌生，依然会觉得，我与这个城市是如此的近，又是如此的远。

紫藤香飘益寿园

聂春友

益寿园的紫藤花开了。这座园林，建设于20世纪的80年代，以老津榆铁路的一段植满槐树的路基遗址为界，南北分为益寿、益康两园。近些年，只要不是太忙，一早一晚，我都要来这里散步。

早晨，是这个园子最热闹的时候。练太极拳的、舞剑的、做操的、跳舞的、唱歌的……年长的、年轻的、年少的，人们或三五一组，或成排列队，以自己的健身方式，尽情享受着这一天中最美好的时光。午后，吹拉弹唱的，看热闹的，打牌、下棋的，在树荫下纳凉的……人们聚会在这里，如同“心连心”的演出，使整个园子变成了激情广场。每逢周六、周日的下午，这里更是热闹非常。一个乐队，有六把二胡、三把马头琴、一支横笛，还有三个伴奏的，可谓阵容强大。他们当中，常演唱的一位老者唱起《高原红》《民族魂》来，字正腔圆，感情投入，就连手机多次响起也无暇顾及。旁边的一个小乐队，一个吹奏，一个拉弦，一个敲打，将《大海航行靠舵手》的旋律活灵活现地展示给人们。不远处，还有一位拉二胡的教师，在横笛的伴奏下，把一首久唱不衰的《南泥湾》献给大家。他身边的观众大多是50岁以上的年纪，他们听得那么专注，仿佛又回到了这首歌刚刚唱响的那个让人难忘的年代。附近的门球场上，总有不少离退休的老同志在那儿打门球。据说，这些老人中，有的还在省、市的门球比赛中拿过名次呢。

夜幕降临时，这里另有一番情调儿。一对对情侣，或携手在林间漫步，或依偎在长椅上，在夜幕的映掩下说着悄悄话儿。年长的人们，有的踏着铁路路基的枕木，往返行走锻炼，有的轻声哼唱一些老歌儿。紫藤架下却是一个热闹的场所，人们分成几拨儿，借着路灯散射的光亮下棋、打牌，旁边那些观阵的人们，时不时大呼小叫、笑语喧天。有时候，我会在这儿碰上老乡或老同事，我们就一边散步，一边唠叨些往事……

每当步入这个处于闹市中的幽静却又充满活力的小世界，我心里总有一种特殊的感受，可谓之身心轻松，或者说，是心旷神怡吧！

那天清晨，我还没走进益寿园，便觉一缕清香随着晨风扑面而来。迎着那香气紧走几步，香气更浓了，远远地，就见园子里那两架苍劲的紫藤茂密的枝叶间，一串串挂满了淡紫色的花朵儿。这些花儿，比丁香大不了多少，悬挂在那儿，像一串串小小的灯笼，给暗绿色的藤叶衬托着，在轻风的抚慰中，闪烁着一束束淡紫色的光亮，摇曳出满园的芬芳。而那历经风雨的一条条苍劲的枝干，仿佛在尽力张扬着生命力的顽强，在藤架顶部的一道道空隙间，在茂密的藤叶的挤压中，如游龙般穿上跃下，直至把几簇稚嫩的藤叶托举上架旁一棵桧柏高高的树顶。我被它的花香浸润了，更被它一往无前的气势感动了，久久地伫立在藤架前。看着身边的人群，我想，是人们禁不住这沁人肺腑的花香的诱惑来这里晨练，还是被人们乐观的生活态度所感染，紫藤也芳心萌动，用蓬勃的生机、满园的花香来应和这种乐观向上的精神呢？

在晨练的人群中，有不少我熟识的老领导，也有刚刚从领导岗位上退下来的老同志。不论春夏秋冬，不论天阴天晴，只要我来这儿散步，总会碰上他们。每次，我向他们招手致意，他们总是边锻炼边含笑点头作答。有位头发银白的老同志和几位年龄相仿的老人结成一组，一丝不苟地练习着招招式式，不知道的，谁能辨得出他们各自原来的身份呢？是啊，无论从事什么职业，无论年纪大小，在这里，在日常生活中，每个人都是平等的。这位老同志的举动，进一步印证和加深了人们感悟到的从政理念：来自于民，得益于民，无愧于民，回归于民。也就是说，早当官晚当官，早晚都不是官；早休息晚休息，早晚都得休息。为官是短暂的，做人是一生的，不论你的职务有多高，都要有民本意识，都要保持一种平民心态。

我信步走上津榆铁路路基遗址。遗址的一端，有一个两侧装饰着龙形图案的小火车头，是当年行驶在这中国第一条铁路线上的火车头的仿制品。遭人损坏，又修复一新的护栏，在晨光中格外引人注目……清朝末年的一段历史凝固在这里，被岁月打磨得灰暗的历史和明亮的现实在这里融合了。

母亲节这一天，我踏着一根根枕木，在槐林里随意走着，心情却不能平静。一时间，母亲的身影和慈祥的面容又浮现在我的眼前，更让我忆起了儿时母亲经常带着我到洋河边看槐花的情景。

我生长的小村在洋河东岸，隔着上百米宽的河道，对面是一个叫沙子窝的小村。沙子窝村边的一带大沙丘上长满了槐树，每到槐花盛开的时节，隔着一条河都能闻到阵阵花香。前几年，槐花盛开的时候，我在沙子窝村边的槐林里给小孙子拍了一幅照片。当时，他那痴情的样儿，真像是醉在槐花丛中了，这让我想起了我小时候的许多往事。那时候，洋河的水总是清清亮亮的，是我和小伙伴儿们嬉戏的最好的天地。春秋两季，我们在河边抓鱼捉蟹，有时候捉到了鱼蟹，我们就在河边笼起火来烤着吃。到了汛期，几乎每天我们都要下水洗澡，有时我们从木桥上往下跳，比谁跳得好；有时候，又从水里顺着桥柱往上攀爬，去掏桥面下麻雀窝里的小麻雀。待到河水结了厚厚的一层冰，我们就在冰面上打陀螺、滑冰车……记得 1959 年洋河发大水，我们这些孩子每天都到水里去捞顺水漂过来的西瓜……这些往日的情景，岁月掩不住，时光遮不断，今天历历如在眼前。令人遗憾的是，现在洋河已经被污染了，那清清亮亮的水流再也见不到了。

花儿有情，花香润心。紫藤花的芬芳一路跟随着我，陪伴着我。我喜欢这些花儿，曾经写过《槐花情》，也拍摄过多种花卉，因为它们让我们的生存环境更加美好，让我们的生活变得更加绚烂多彩。我时常被那些姿态各异的花儿们所感动。人生一世，花开一季。这“一季”，对有些花儿来说，不过是短短的几天，可谓是一瞬间。在岁月的长河中，人生也不过是短短的一瞬。但是，只要像这紫藤一样，把这一瞬间的花香无私地奉献给他人、奉献给社会，就是美好的人生、成功的人生。这时，我想起了《建设者之歌》中的词句：“为了绿色和谐的生活，为了魅力活力的城市，我们苦也不悔，我们累也不说……”这支歌，牵动了我们打造“四岛”的激情。这益寿、益康两园，我们还要把它们改造建设得更好。作为一名城市的建设者，我为能够为我们的城市增光添彩、能为市民创造一个美好的生活环境而自豪。

我想，明天早晨一定要把相机带来，好好地拍拍这些紫藤花，将这美好的瞬间定格，将它送给我的亲人和朋友们。

心 情 树

王砚梅

我常常被一株树感动，想到它，原本平淡的心情便会蓦然亮丽起来。它是我的心情树。

树就在小区的花园里。那个花园坐落在林立的楼群之间，地方不大，一栋楼基的面积，称作花园实在有点太小了，只是因为错落的植物使它看起来像个“园”罢了。

园子里用小块的地砖铺了路，曲折地延伸到各个出口。齐膝的冬青篱笆似的把草坪圈了起来，月季开在草坪与冬青之间，早冬微凉的风拂过，迟开的花瓣缤纷着舞落，散进鹅黄色的草丛。园子里的树不多，都是长不高的观赏树种，很随意地散布在小路边，随着路的曲折迂回或舒张或收敛着行人的视线。

花园的东边是一串门市房，门市房外的路边是一个小市场，下班时，常看到孩子们在花园里追来跑去，一条小狗兴奋地跟着跑，跑得不亦乐乎。那些树总是用浓郁的绿阻碍我投向小孩子们的视线，却延伸了对他们去向的好奇。忙碌了一天，园子里快乐童声的喧闹，使得原本刻板的生活节奏鲜活起来，绷紧的神经也不知不觉舒缓了许多。

春天，我喜欢在清晨时从园子里穿过，因为那里有着与众不同的只属于春的芳香。那株树就在我必经的地方，枝丫总是与我擦身而过。说它是树，不如说它是树丛更贴切，因为它齐根往上呈丛状散开，基本上没有树干。早春时，草儿才刚萌芽，它就自由淡定地开满了白色的小花，香气很淡很普通，普通得若有若无，无从捕捉。等到草儿们绿了，花儿都开了，它早已是绿满枝丫，垂满了细长的桃形的叶子。

夏天是花的季节，从入夏一直到九月底，是花儿们尽情展现魅力的时候。夏天也是颜色绚丽的季节，璀璨的色彩使炎夏弥散着旅人的韵味。这个小花园是月季花的世界，其他的花都比不过月季的艳丽、娇娆，大朵的惹眼的月季就那样嚣张而疲乏地散发着香气。它们按照自己的意愿，在小花园里鲜艳了长长的一个夏季。我无数次从园里走过，既讶异于花儿的浓香美艳，又感叹园边这株树的朴实无华，葱茏透绿，一株普通得不能再普通的树，却从容自若，于繁华中持一份超然的悠闲，透着盎然的生命力。

初冬的一个清晨，铅色的天空阴沉，风仿佛承受不了云的重量似的零碎地旋转着。我从花园匆匆走过，曾经喧闹拥挤的小园里落叶斑斓。经过稀疏的树丛时，忽然被眼前的景致吸引。那是什么？在灰淡的天色中明媚地鲜红着，被枝丫高高地托举着的是它的果实，粒粒晶莹，鲜润欲滴，红豆般炫人眼目。在万物萧条的季节，一株谢落了满枝绿叶的树，以其独特的方式将惊喜注入人的心底。

这是怎样的一株树啊？我不知道它的名字，却被它深深感动了。在世界缺乏颜色的早春，它呈现出一线朴素的春意，在寂寥的季节，它又以一份执着温暖了冬季。它默默地伫立在人们的视线之外，坚守着坚韧、含蓄的风格，不因人们的宠辱而有丝毫的改变。

友人说，它的那些果实会一直挂在枝头，甚至隆冬季节大雪压枝时依旧不会输却寒冷，与雪映照，相得益彰。于是，我对它越发充满了无限的敬意。

入冬以来，每次经过那株树，风中的它总似在沉思之中。它不知道，自己曾以怎样的宁和淡泊，演绎生命的真谛，又是以怎样的平实包容，拨亮人们的心灯，温暖人们的心情。

岛上三题

简　枫

晚　秋

眼前这条小路，颇有些闹中取静的味道。我的城我的岛，在此刻总是多出两分清冷。风，是小岛送给人们最好的礼物，钻进衣襟、裤管、脖颈，让每一寸肌肤都真切感受到晚秋的凉意。

路的左右两侧各有一个小花园，花园临河，十分幽静。我愿意将心灵在这个园子里安放一会儿，在一条长椅上侧坐或仰躺都好。阳光明澈甘冽，好像有什么人一甩手就把我扔到了楼的丛林，我就像一个迷路的孩子。朋友这样说过，女人感性而坎坷，女人理性而寂寞。我说自己是旋转在感性和理性之间的陀螺，因为习惯了旋转而无法停歇。

小花园边上是护城河，河水有时候也是干净透亮的，有鸥鸟散淡地飞来飞去。我想它们必是自在随意的，痴痴看上一会儿，鸥鸟便无影无踪了。我们注定在永不相交的领域，为彼此道一声各自珍重。

这条路的拐角处，有一个卖烤白薯的女人，因为喜欢吃烤白薯，我就喜欢上了那个卖烤白薯的女人。喜欢听她丰富多腔的吆喝声，“烤”字清脆而短促，“白”字悠长而绵软，“薯”字只用一点余韵就带出来了，应该是这样的“烤白——薯”。

我喜欢秋风乍起的日子，寻找一处偏安的温暖所在。

一个心情舒展的午后去逛超市。偏爱各种小杂粮的自选区，各种子粒饱满又晶莹的新米，还有那红的、白的、紫的依然保持着泥土余温的豆类。圆润的豆色彩那么含蓄，丝毫也不炫耀。豆类是新米最忠诚的伙伴，无论以怎样的方式结合，都是一碗芬芳温润的新米粥。在晚秋安宁的心意中看火舌舔着锅底，如此就是岁月静好吧。

我的小岛是山海相依的小岛，每每知了不叫了，落叶飘飞了，我便提着篮子去乡下的市集，闲七杂八地搜罗满了才回，快乐是需要制造的。

静　海

面前的海是宁静的，像在默默地想着无尽的心事，让人感觉出一种友人间的默契。不远处的海滩上有两个人在那儿嬉闹着，是一个男孩儿和一个女孩儿。他们刚上岸，跑动起来身上头上抖落着亮亮的水珠。他们的青春年少，他们的无所顾忌，使人在不知不觉中滋生一种对曾经拥有的东西那种强烈的怀想。怀想总是充满泪水，无论是甜蜜，还是苦涩。

大概是玩累了吧，女孩儿懒懒地躺在沙滩上，闭着眼睛，男孩儿极认真地用一捧捧洁净的海沙将女孩儿全身埋上，女孩儿静静地享受着那份暖意。他们的快乐，营造着一种让人嫉妒和羡慕的氛围。只一会儿的工夫，女孩儿一跃而起跑向浪花盛开的地方，在海水中跌跌撞撞、站立不稳了，急急地喊："哥哥，救我！"那男孩儿风一样向女孩儿跑去……隐隐有一束阳光透过云层，岸边的礁石永恒。

女孩儿的笑声那样清脆。某些藏在心底的东西，被这笑声感染得泛上心头，一首儿时的歌谣，从很远很远的地方荡过来："老天爷，别下雨，包子馒头都给你。老天爷，别下雨，买个馅饼请请你……"也是这样的雨季吧，我和安表哥扒着窗台，对着窗外不住地喊叫着。小孩子的心啊，阴天晴天都是快乐。谁的日子，不是在渴望与留恋中丝丝缕缕流走的呢？

那缕阳光终于穿透云层，海面明亮起来，闪动着细碎的光亮。不知什么时候，海滩上的人多了起来，人群之中，我再也找不见那男孩儿、女孩儿了。

暮　春

海边小城的春天是排开一溜子美味的，面条鱼就是其中之一。我因为好这口，总是要从头吃到尾的。我偏爱面条鱼的另一个名字：银鱼。

清早的面条鱼为上品，那时海上的太阳光散落在一筐一篓的银鱼身上，金银辉映，面条鱼通体透明，这时刚好赶上带回家做了该是绝妙滋味。我常吃的是三样：面条鱼炖豆腐、面条鱼水煎饺、面条鱼摊鸡蛋。做海鲜最忌讳放味精的，食物自身的味道已足以让人回味无穷。

我拎了一小袋黄昏的面条鱼往回走，暖风轻柔，行人和美，玉兰花蕾密密实实端坐在高枝上。别处的玉兰花已经繁盛了，北方的春天总是姗姗来迟。地芽子韭菜有紫红的根，我做面条鱼水煎饺必须放一把地芽子韭菜。用素油炒几个散养鸡蛋，生抽点上几滴，将开水滚过的小鱼拦上几刀，再撒少许韭菜碎。

我对于吃情有独钟，我们家有个约定俗成的规矩，吵架拌嘴之后，理亏的一方总是要找机会下厨房做好吃的。我是个大大咧咧的人，有错没错也要精心准备细致张罗。他也经常拉开架势去厨房大展身手，必是要配合上千篇一律的解说词：“我们姜家是开过饺子馆的，出了山海关一直到哈尔滨你去打听打听，姜家饺子馆谁不知道？”那都是哪个朝代的黄历了啊，懒得戳穿他。

钟情一样事物用吃去表示，也不是我的独创。每每读辛词，便想起“休说鲈鱼堪脍，尽西风，季鹰归未”一句，莼鲈之思在我，是颇具艳羡之心的。试想一个人在吃上都糊弄对付，岂不是辜负生命的过程？我固执地认为，舌尖答应了才是小城最好的春天。

温凉时节说心事，半为春光半为人。如此刚好。

小城的雪

无 痕

我不知道是不是所有沿海城市都有一条滨海大道，一面倾听着海水的浩渺动荡，一面承接着由森林与建筑隔开的来自城市的喧嚣和声浪。在我生活的这座小城，北依燕山，南临渤海，城市仿佛是山海合蚌孕育的一颗珍珠。春来万物复苏，北侧燕山面朝大海怒放生机，漫山遍野的花朵如潮，城市就在大海和花潮的涌动间呼吸。夏天则来得有点儿不经意，绿肥红瘦的是植物与山林，潮起潮落，小城就在起起落落的渤海湾里消暑纳凉。

过了大暑再立秋，在天高云淡的背景下，海水越来越高远，燕山越来越沉淀出生命与果实的味道，那是极致的生长之后极致的沸腾和燃烧。露白霜重，颗粒归仓，随着第一朵雪花从天而降，沉寂下来的燕山开始收拢臂膀拥抱向南的海浪，“燕山雪花大如席”，命运沉潜的力量就融入了大海的苍茫。小城的四季多美啊，我从没想过替它表达，可是想想就觉得充满诗意。我爱它的四季，更爱繁华落尽之后一望无际的雪和海。

写到这里想起一个句子：“爱一个人，恋一座城。”所谓生命里的浪漫，无非是爱与美、善与真。游离于现实之外的倾城之恋，细想想，总不及一场铺天盖地的大雪来得纤尘不染。记得那是2014年春节前一个慵懒的早晨，拉开窗帘，睡意迷蒙中看见窗外的天空灰而低沉。我喜欢类似的灰，仿佛不刺眼的清澈的湖水。天空那么远，我只能仰望，怀想那一望无际的湖水里隐约藏起的森林和月光。在不远处的环岛公园里，杨柳和灌木们已经休眠，等待一场新的轮回。秋收冬藏，我喜欢生命里这样缓缓沉淀的时光。眼前虽然没有寒风呼啸，我却仿佛听到了大雪的回声。我想，大雪已在路上了吧。一朵，两朵，三四朵。一片，两片，三四片。当雪花飘飘洒洒，从天而降，仿佛有初生的喜悦涌至眉间心上。不知是城市生活的热度和密度太高，还是自己的心过于浮躁，那一刻，唯一的执念就是去海边看雪，去寻求一场偶遇，赶赴尘世之外的邀约。

当我带着儿子辗转公交，来到海边，已经时近中午。雪花团团簇簇，密集而凛冽。除了我们和相约的朋友，海边少有人迹。事实上，那一刻，我觉得我们也是多余的。漫长的海岸线上，我们身处的周遭，只有漫无边际的雪和海。远处海天一色，混沌如天地初开，而大海仿佛一滴眼泪落在人间。岁月轮回，多少世事沧海桑田，唯这滴眼泪深不可测，神秘而恒久地守望日月星辰。雪落沧海，雪落燕山。一场大雪覆盖了所有的浮华潦倒，新鲜的事物将还原为朴素，陈旧而腐朽的也将踏上归途。眼前风雪完全置换了小城和我。哪怕四季轮回，各有不同的美，我只爱那一刻。那一刻我忽略了之前种种，仿佛我和小城在雪与海的邂逅中获得了新生。向前可以追溯历史，向后可以预期未来。我的一颗心此刻是那么干净、年轻，孤独又充满温情。

海在静静地睡着。浮冰上也落满了雪，轻轻地回荡。雪在树林里似乎藏了起来，令人怀想夏日繁盛的槐花，那些温柔的时光和思念，如今藏在哪里？沙滩也失去了底色，把自己裸裎出来，与洁白的雪融为一体，分不清彼此，仿佛一片田园，雪就是那安静生长的禾苗或诗行。不忍心在雪地上留下脚印，又忍不住抓起一团雪，想把它贴在脸上。冰冷的雪立刻热情地化为水滴，凉意散尽，竟是一阵贴心的暖。远处搁浅的小船总是孤独的，不理会海水轻柔的拉扯和邀约，只把雪分出层次和立体，并留出小小的一方空间，让沙滩露出几个酒窝。野草的头发上落了雪，旋又坠落如粉。深深的脚窝里也重新覆上雪粉，似乎想掩盖什么，又似乎想故意透露什么。只有海水幽蓝，悄无声息地把雪花化为无痕。依山傍海的小城此刻是那么宁静，心里仿佛被什么充满。“爱一个人，恋一座城”。我听不懂海的语言，也没有悟透雪的静默，但仿佛懂得了，唯有热爱，才是生活最真最美的寄托吧。

是的，我爱干干净净的我和干干净净的小城。当我在盛夏的暴雨中写下这段文字，我知道我只是截取了生命与自然的一部分。对于生命与自然来说，我和小城的相遇只是无数必然中的偶然。只有爱与美、善与真，代替一切存在而抵达永恒。燕山不老，沧海横流。世间所有相遇都是山海合蚌里的珍珠，等待一场飘然而至的大雪为灵魂洗礼。

窗无玉兰

陆旭辉

小时候刚刚认字，在姐姐的语文课本上画着南京长江大桥的那一页，用手指点着长长短短的句子，吃力地念:“笔直的公路上，一对对玉兰花灯柱,像等待检阅的队伍……”玉兰花,玉做的兰花，该会是什么样子呢？直到后来在大爹家的一本画册上，才看到湛蓝素净的天空下一枝白色的花朵，自画面的一侧横斜而出，身姿挺拔，所有的桃形花瓣都向上展开，向更高远处伸展怀抱。待放的蓓蕾也努力伸展着苗条的腰身，仿佛舞蹈演员，始终重心上提，保持着轻盈而抖擞的台风，画的落款，写着她们的名字——玉兰。当时小小的我也不禁为之一振，深吸一口气，感觉整张画都溢满淡淡的幽香。

我所居住的小城，从来不缺少画中那样高远的蓝天，但我却一直没在这里见过玉兰；别处的玉兰开得酣畅，但却不曾映衬着小城这样的蓝天。就这样，我的视野中，玉兰与蓝天，始终有一个在缺席，始终不得小时候见到的画面那般的完满。直到小城的苗圃出落成一座百花争艳的植物园，直到我搬到新的住所与植物园为邻的那个春天，我心中那个夙愿般的念想才得以实现。

一个和煦的春日清晨，我独自走进植物园，忽然，有几树白色的花朵撞入视野，她们不要承托她们的枝干有多么柔美，甚至谢绝了鲜活的绿叶的陪衬，只兀自挺着腰身，不向左也不向右，只够着最高处的光线，在干净得没有一丝云絮的蓝天下，不露声色却淋漓尽致地盛放，然而那盛放，虽然肆意却不俗气，是那种旁若无人的、自顾自的认真与投入，仿佛这种盛放，只关乎她们本身而与其他任何人与事无关，对她们而言，她们只为盛放而生，只为高远的天空而生，除此再无他念。

而我，却不是跟她们有太多相遇的机缘。虽然一路之隔，我却耽于生活的琐碎而很少到植物园去，更加很少看到蓝天下莹白挺秀的精灵。我们只是行走在各自的生命中，或许同时开谢，也许各自枯荣，不常遇见，而我却始终倾心于她们。

后来单位的院子里，也培植了几株玉兰。冬天腻歪着不肯谢幕，春天已经在迫不及待地候场。我伏在办公桌上涂字，正午的阳光从背后溜进来，像恶作剧的孩童，坏笑着晃了我的眼。眯眼躲过它，看见窗外竹林掩着的捆扎着高清摄像头的电线杆以及头顶鹊巢或一簇灰云的树木。记得装摄像头的电线杆附近有一株玉兰的，可我现在却找她不见——不知是因为竹林的迷乱还是没有朵朵粉拳样的花苞作为标签，总之，我看不见或看不出，哪一株是我去年曾见的玉兰。

除了竹子有些不太透亮的绿，我视野的所有树木都还只是郁郁寡欢的灰褐色，像一群灰头土脸的群众演员，长着一张张大众脸，甲乙丙丁只不过是个代号，模样情态都没有鲜明的特征，亦不似男女一号那样个性鲜明，让人眼亮，更别说能使人有些关注、喜爱的情绪了。

每个冬天的寒冷，在别人眼中似乎不算什么，而之于我，就像有洁癖的人多日没有机会洗澡一样，内心满是尘垢，却只能隐忍、无奈和下意识地逃避，而心底却时时泛起一些念想，碎碎念，时时想，难以按捺。只待春暖花开，卸去尘垢的壳，一下子轻快、舒展起来，连呼吸都顺畅清冽。

我又一次望向窗外，忽然有扳过摄像头睁一眼闭一眼向其深处探望的冲动，就像好奇的孩子望向一孔时间隧道一样的深井，想穿越而去，经历各种奇遇。而我只是想看看去年花事之前，那树玉兰怎样波澜不惊、明修栈道地以平庸大众的面目示人，又是怎样暗流涌动、暗度陈仓地积聚能量，采撷雾霾中的点滴雨露精华，然后含苞，继而吐蕊，蓄意制造了一段工笔画一样明净素雅的春日时光。

写到这里，同事推门进来，我问，今年的春天来得晚吧？她停下在我电脑上翻报表的手，眼睛眨一眨，晚吗？早就是春天了啊。她说完顺手拿起我手边的桃子，在我眼前晃一晃，咬一口，嘴里含糊着：现在的季节，已经没有明显的界线了。然后走出我的视线。我似乎没听清她的话，继续沉溺在自己的世界，想象摄像头的余光详尽具体地记录的与玉兰有关的日子。这种不经意的记载，何尝不是一种机缘与美好。

一些细碎寒凉的风栖息在料峭的枝头，于是，一丝丝渴望被滋生出来，冒出尖尖细细的小小手儿，像攥紧的小拳头，食指的指节突出来，毛毛的，招摇在褐色的枝杈上，惺忪地在风里、在雨里汲取养分，然后慢慢舒展，小而毛绒的拳头便生发出一些生动的、贴近春天主题的色彩。先是掺了秋香色的绿，待再过一阵风儿，绿就被风褪去了，拳头长大了一些，已经没有了毛绒的包裹，一些灰调子的粉和黄露出来，像孩子马上就要萌出乳牙的牙床，坚实的，粉粉的，泛着白，里面鼓着劲，有东西呼之欲出。过了清明，风露渐暖，她们的颜色更加生动而不再那么生涩，花萼箍在花苞下面，她们像紧衣绿袖的刀马旦的粉拳，飒爽而清丽，风来起舞，风过沉思。终于，阳光暖得心里痒痒的，天空蓝得眼睛亮亮的，她们再也顾不得娇羞，次第舒展，用浮动的暗香，割据了一段最明朗的春天。

可是我想，不仅春天，一整年的时光都是属于她们的，就像也属于其他的树木。无论会不会被无心的眼睛记录，或者被好奇的眼睛探寻，她们都在那里，交替呈现着生命的一场场巡演。

阳光换了个角度照进来，展开在我的稿纸上，那姿态一如我平铺直叙的文笔，平实却敞亮。笔尖在纸上游走，那声音，是盛放的玉兰擎着小城的蓝天，走向我的脚步。

难忘当年香雪海

金　山

已近农历五月，晨曦中我推开窗户，一股淡淡而绵绵的甜香幽然潜入心肺。我闭上双目慢慢吸着，一丝一丝，把这股香气从鼻孔收入喉咙，收入五脏六腑。这是极为普通的洋槐花香，但是它带有儿时特有的记忆，是久违了的芳香，它使我几度陷入沉思，穿越时光，回到那个简单、清贫而又充满快乐的年代。

我是老秦皇岛人，新中国成立时我就生活在这里。想起来，老秦皇岛给我印象最深的就是当年的香雪海，也就是无边无际的洋槐树开满层层叠叠的槐花。

先说树。新中国成立初期，当时人们称作岛的地方就是东山、南山，绵延数里，到处是郁郁芊芊的洋槐。树有两三丈高，有的老树我们三四个小伙伴双臂连拢还搂不过来。爬上树顶放眼望去，满眼皆绿，绿得似一汪湖水。建筑、行人、小路，全都淹没在这翡翠湖中。风起枝摇，好似湖中泛起了涟漪。行走林中，一股清新的湿气浸入口鼻，像老友的贴脸拥抱。当年，学校在林中组织活动，三四千人散开就像泼出的一盆水，听得到声音，却极难寻到小伙伴们的身影。

树与海近在咫尺，最近处不过十几米，海挽着树林，树依偎着大海。微风习习时，海浪舔着大树下的金色沙滩，树枝婆娑起舞；狂风大作时，澎湃的海浪与林涛共鸣，奏响激昂的交响乐，演绎着万马嘶鸣的激战场面。徜徉于此，心旷神怡，宠辱皆忘。

再说花。洋槐开花最晚，记得儿时大约是在农历五月，好像现在开得早了，也许真的是气候变暖了。洋槐花雪白，像一串串的小白鹅挂在树枝上，调皮地荡来荡去。槐花香是一种幽香，像一只只小手撩拨着心扉。偌大的树林，几平方公里的树海，花开时节全染成了白色。都赞美梨花冰肌玉骨、俏巧动人，但是同洋槐花比，似乎有些小家子气，梨花哪有洋槐花来势凶猛、铺天盖地？刹那间，千树万树尽是玉带缠身，那分明是压在头顶、浮在空中的大雪，果然是名副其实的香雪海。

当时小城不大，彼时全城都浸润在那淡淡的花香中，晚上比白天更香。那香气像肆无忌惮的小孩子，调皮得登堂入室，占桌上炕，如果吸上一口气，满嘴都是花香。夜深了，香气似凝固的音乐，人们每天枕着它进入甜甜的梦乡。

我曾与小伙伴们，在月圆花开的夜晚躺在温暖的沙滩上，看皎洁的明月，听海浪与林涛的对话，吮吸着阵阵花香。四周静寂，我们融入画中，也成了风景。记忆中，那是多么美好的诗情画意啊！但更多的时候，我们无暇欣赏风景，更无闲情吟诗作赋，我们得琢磨如何为父母解忧，如何让弟弟妹妹吃得饱些、好些。

在亮似白昼的月下，我们沿着海滩捡拾海煤。海煤是落到海里又被冲上岸的煤，它又轻又亮，划根火柴就能点着，因此成了早点摊、小饭店的抢手货。海煤很小，一般只有手指肚大。我们低头猫腰，要顺着海滩走上几里路，才能捡满一小筐。每次回家前，大家都要把煤匀一匀，怕捡少了的小伙伴回去挨家长训斥。捡海煤很辛苦，但是想到父母脸上的笑容，累就抛到了九霄云外。

我们去采摘槐花。将一根长棍上面用铁丝弯个钩，钩住花枝，轻轻一扭，花就下来了。把花交给母亲，母亲把花掺到玉米面里，贴在铁锅沿儿上，我管烧火。不一会儿，满屋就弥漫起槐花饼子特有的香气。吃过一顿，母亲就把剩下的装篮挂在房梁上。弟弟妹妹眼巴巴瞅着，母亲说："不是妈舍不得，这东西吃多了脸会肿。"

在槐花盛开的日子里，最让人们难忘的是端午节。当时有个风俗，这一天码头开放，从市里到码头几里远的路上，摆满大大小小的货摊，还有许多单位和民间团体组织文艺演出。人们从四面八方涌来，热闹非凡，沉浸在快乐之中的我们随着人群涌向码头。站在码头上四下眺望，天湛蓝湛蓝的，海碧绿碧绿的，都像是用水洗过似的清澈明亮，空气中流溢着咸涩与甘甜夹杂的味道，转身我看见了包围着人群的香雪海……那个场景，就那样牢牢地定格在那个心有无限憧憬的少年的心里。

雨霁晴明赏梨花

李贺文

晚上朋友打来电话，说驻操营半壁山的梨花开得正热闹，约我第二天一同去赏梨花。谁料，人算不如天算，夜间淅淅沥沥的雨便一直下个不停。躺在床上，满脑子都是梨花的影子，担心雨骤风疏梨花落，遗下满地憔悴，担心雨夜寒流突至，冻坏花蕊，果农梦想成空。忽睡忽醒，终于挨到天亮，拉开窗帘，竟见云开雾散，东方欲曙，心中不由一阵窃喜。

简单地扒拉几口饭，便驱车前往石门寨，与朋友一起直奔半壁山的梨花岭。由山上向下望去，只见满坡梨树在大地的怀抱中，穿越风穿越雨，穿越循序而来的节气，被阳光照耀，天露滋养，天地间的精气在梨树体内漫滤出满树的花朵，忘情地释放着蕴蓄了一冬的激情。朵朵花儿簇拥着、挤压着，挣脱身后绿叶的遮掩，如皑皑白雪挺立于枝头，亦如素雅的歌手炫耀于舞台。盘桓于山间小径，见洁白的花瓣儿有的大张，有的微拢，紫红色的花蕊支棱在花瓣儿中，朝上开放的花瓣儿上沾满晶莹的雨滴，看上去别有一番韵致。让我想起一句形容女子容颜的成语“梨花带雨”，真是一个绝妙的譬喻，极具神韵。

登上山头，南坡的梨花则是另一番景象。由于朝阳的缘故，盛期已过，轻风拂过，花瓣儿便洋洋洒洒飘向大地，呈现出一种让人心悸的凄艳之美。诗人则赋予其积极的意义：“漫山遍野铺天盖地的白，我知道，那是梨花散落在春天的梦。”是啊，有梦，才有秋后色彩斑斓的果实。

盘桓于花团锦簇的梨树间，沐浴着和煦的春风，聆听着林间欢快的鸟鸣，呼吸着雨后混有馥郁的梨花香的清新空气，一种无法言喻的畅然之感油然而生，它丰富了我对幸福的理解，对自然的敬畏。昨晚读诗，读得陈简斋：“柴门对急雨，壮观满空山。春发苍茫内，鸟鸣篁竹间。儿童笑老子，衣湿不知还。”我想这老者徘徊山林，遇雨不归，不仅仅是贪恋易逝的春色，还包括对自然的眷恋，对青春的回忆。

伤晚悼红是古代诗歌的重要内容。李商隐有诗：“客散酒醒深夜后，更持红烛赏残花。”僧人道衍写道：“如何不管身憔悴，犹恋黄花雨后香。”都怅惋青春易逝、人生苦短。乌斯道有句云：“今日山花依旧好,东风吹雨湿僧扉。”僧已作古,山花依旧,春雨湿扉,寂然无声，以庙宇的凄清，衬托自然之无涯、生命之有限。

这样慢慢地走着，细细地想着……突然，小径旁一株形体奇特的梨树兀立眼前，这株老树主茎有一米多高，上部毁于雷火，主茎端部已经乌黑碳化。令人惊奇的是尚有一枝旁逸斜出，与主干仅有巴掌宽的一段老皮相连，幸存的树枝匍匐着被果农用支架托在空中，满枝的花朵在春风中展露笑颜。我的心立刻涌起情感的狂澜，这是怎样的乐观，怎样的刚毅啊！记得唐代诗人沈佺期说过“一草一木栖神灵”，大概指的就是这种情形吧。

国学大师辜鸿铭，有诗赞美春风。这位孤独的老人刚正直率，锋芒毕露，他曾在宴席上当面指责严复：“严复译《天演论》主张物竞天择，于是国人只知有物竞而不知有公理，以至兵祸相连，民不聊生。”世事艰难，术用乖错，老人倍感伤怀。1927年，他在寄给日本友人萨摩雄次的照片上题曰：“年来检点人间事，惟有春风不世情。”满腹酸楚，尽在不言之中。一年之后，也是这样绿染大地、落英缤纷的时节，辜氏怀揣遗恨撒手西去，两女亦托身道观，削发为尼。本来是来与大自然神交的，却又不由自主地拉扯到人间事，就此打住。

秋日在板厂峪

刘育辉

暮秋，枯草睡了，长城也睡了。像一个孩子，玩耍四百年后睡了，那么香甜。我悄悄走近，慢慢地翻了一下身，我看见身下的岩石，被压得变了形。我坐下来，看见你绛红的后背上，满是刀枪留下的伤痕，我无力抬眼，却不得不眺望远方。晨雾之中，隐隐见到山脚下名为板厂峪的小村，炊烟正慢慢升起。

我相信，这又是一个美好的早晨。

这里住着义乌的后人，石碾、驴和女人的笑声，点染着浓雾弥漫的早晨。他们说，他们与长城有关。玉米地下，开挖出厚厚的城砖，证明着，他们的祖先为这逶迤的长城所做的贡献。如今踩着这段历史，他们把残墙和高粱码在一起，让我们这些外来者，举着酒杯，若有所思。

看到长城，我想到了我的父亲。同样弯曲的后背，在苍老中镌刻着威严。一样灰色的脸孔，写满了世代变迁。再也看不到喧嚣战场和那烈烈硝烟。老了，但生命仍会平静地繁衍。老了，除了守望，还会期待明天吗？

羊群从晨雾中走进大山，自由得看不到牧羊人的皮鞭。它们吃草，或许只是去山上看一看。它们知道吗？它们的祖先，曾经背负长城砖走最险的路，翻越最高的山……站在城墙上，看见羊儿自由，草儿青青，我忽然明白：它们是在以守护家园的方式纪念。羊的忧伤，我们看不见。

从山中回来，我学会了忍受寂寞。不知道是山中所见的哀伤还在延续，还是那夜晚的酒麻木了我的欢颜。弹指的落寞，让我忘记一些什么。忘记萝卜辛辣的滋味，忘记夜行路上的孤单，忘记山间雾里的不得见，忘记田野里老农浑浊的眼……只有几百年的古树残墙，仿佛是一柄利剑，往复于古代与现代、今天和昨天，直至将我的纷乱的思绪刺穿。

戍守长城的故事，不必再去纪念。亦不想，在杂草丛中寻找那些带血的花环。我们这群后来者，欣喜地看麻雀、玉米和梯田，还有袅袅升起的炊烟，看见山间夜晚的星辰和雾里早晨的太阳，那么亮，那么暖……

我们是幸福者，我们在秋日的山间。

岛上沉思录

杨　洁

靠近海，靠近辽阔

更多的时候，人们在各自的生活场景中奔忙，体验着悲欢。在匆忙的行走间，却丧失了对生活的感知。来去匆匆，却总是觉得两手空空。

生命静流，有时毫无声息，仿若死水微澜，听不到浪花飞溅，看不到一丝涟漪，其实那只是被误读的表象。谁知道哪一刻晴空会变成阴霾，生命之海会掀起万顷巨浪。那一刻，深深体悟到的一定是生命无常、命运多舛。因此，多么需要内心的沉静与安守、从容与悠闲，多么需要目光平和地凝望大自然中的花草、果实、水滴、羊群……借此安放自己的身心，接受无意间带来的点滴喜悦，它将使每一天的每一时刻，简单而丰富，寂静而辽阔。

智慧的双眼、敏感的心灵，使得行走间遇见的人与风景，都可能成为彼此极其重要的引导，使生活变得开阔，使心灵变得辽阔。那是审视与融入自然最好的状态，也是意外邂逅的一小段幸福。其实，真诚地生活多么重要，以一颗平常的沉静之心守着一方水域，是浩瀚的海洋还是潺潺的溪流都并不重要，重要的是不为什么囚禁，不为什么左右，不为什么孤独，不为什么绝望。哪怕是望向蜿蜒而去的杳无人迹的海岸线，依然可以从容地与浩渺的烟波相对，虽默默无语，但却有万千表达，虽望不到前路，却满怀欣喜。

沙滩上的城堡

海是风景，是时间，是悲怆，也是丰饶。太多的情绪可以被巨大的冲击海岸的声音所覆盖，或者被阳光蒸发。踩在存在千百年还将存在更久远的沙砾上，海浪将它们推向更远的岸或者拉回到海里，也留下了奇妙的生物。

海岸线上的夕阳将沙滩染成了闪亮的金色，小孩子在沙滩上堆砌童话里的城堡。一阵潮水涌来，城堡顷刻间就夷为沙流，只有带着光洁花纹的贝壳还停留在城堡的地基上……但这并不影响孩子堆砌城堡的心情与兴致，也不会因为转眼消逝而停下来。这是只有小孩子才有的简单与纯真。

在细雨迷蒙的时日远眺海，乍看海天一色，一片迷蒙，看得久一些，就会发现天光海色阴暗变幻莫测，有着无数的色彩和无数的可能。看似平凡的风景，昭示深刻的内涵，传递着生命的根本。日月潮汐，绚丽的光与色彩，变幻犹如戏剧。

常常忽略生命里转瞬即逝的美好。那些美好，一如静躺在沙滩上的沙砾和这些砂砾搭建的人生城堡。穷其一生，都是为了这座梦想的沙滩建筑。

嗨，走栈道去

什么样的山水，造就什么样的人群。山海城市文明与山水情趣是衍生的连体。这里有众多相约奔赴山水的群体，其中就有一个叫：栈道群。有时候，大家在群里呼喊一声：嗨，走栈道去。时间，起始地点。最有趣的是最后的标注：一人也成行。因为更多的时候，大家会在不同的地段不期而遇。

在栈道上行走，可以看见滨海大道上车马喧嚣，还有滩涂之上逆风飞翔的海鸥。湿润中略带几分沉醉，清徐中藏匿几分豪情，像是从海底、从暗礁、从枝叶里走出来似的，由内而外，延绵不绝。远处，海上生烟，近旁，树枝缠蔼，心情亦是这般空灵、幻醉。

想来沿海木栈道最初的创意者，也许是出于一种人文关怀，让在沙滩上行走的人鞋子保持洁净，又能近距离看到大海与海鸟。只是到后来，走栈道成为这个城市的一种休闲方式，一项特别的运动——生态运动之一种，同时也成了海边一景。

喜欢海鸟与海浪齐飞的感觉，喜欢迎着海风疾走的感觉。走的是栈道，但其实走的是一种心情。走栈道的人，会随手拍摄遇到的美景，也会随手捡拾被丢弃的垃圾。看远山，看海鸟翔舞，也看见畅意行走的自己。

因为个体差异，对行走的定义与感受不尽相同，相同的是大家一直在行走，也在体验，也在思考。

逸城是一座什么城

住在靠近海的城区，入夜人们可以清晰地听到波涛声声拍岸。那充满沉郁而美妙的感受，日日弥漫在梦里，直至习惯成自然。在森林逸城居住，清晨起来可以去公园散步，阳光透明而耀目，那份清爽无法形容。傍晚的光线很美，阴影中略带蓝色。

这是随时可能苏醒的城市，那些气定神闲的老人，随遇而安。

在海边，在公园里，有很多用来消耗的时间，用于安定而随性地散步，似乎生活在永不流动的时光里。日子里的自信与淡然，可以带来无边的安心。在这里生活，好安逸哟。这样的城市小区，似乎就是秦皇岛这个城市的缩影。

环境幽清，无风而自凉。总有爱好摄影的人和他处游者前来看绚烂花朵，看青碧风景，拍日出与日落。在凉亭里拍双桥，那是绝佳的角度。

享清中之寂，不闻红尘杂声，听海浪声声，不作丝毫他想。

心灵静如海岸

如果你行到此处，无论你来自何方，请你与城市一起静下来。

这里有北方的舒朗，临海的潮湿，但冬暖夏凉。冬天真正的寒冷和夏日真正的炎热时间都极短。比如游人如织的夏天，仿佛刚刚还挥汗如雨，转眼就风过林间，仿佛昨日还耐不得溽热一再往海边跑，今日就是秋天般清爽了。在海里停留不愿上岸的人，实在是因为这样的时光短之又短。

这里足够开阔，但这样说虽准确却显然是敷衍。城市的逼仄与沉沦是存在的，哪一个城市都存在。但更多的时候，被对舒朗的想象和现实中的翠绿所遮蔽。就像大海的波澜壮阔，日日欢歌，即使你不去面对，依然可以感受到那种容纳与激荡，这便是这个城市的美妙之处。

我们的生活也是这样。所以，我们不必厌倦这一刻的百无聊赖和暗暗心伤。沉寂的清幽与跳跃的清浅，总有一个更富有诗意。

但其实，从一座桥梁到桥头开花的树，从一片丛林到广场，从喧嚣的长街到夜晚灯下的一个人，从奔腾到宁静，从生到死……

这一切延伸之处，都是与生命息息相关的一部分。

九月以后，喧闹的游客散去，将静还给这个城市，夕阳中城市的剪影，就是画家笔下清丽的描绘。还有什么比它更宁静，更美好。

我很幸运，生活在岛上。